CLASSIQUES

Collection fondée en 1...
conti...
LÉON LEJEALLE (1949 à 1968)
Agrégés ...

PAUL VERLAINE

CHOIX
DE POÉSIES

avec une Notice biographique, une Notice historique
et littéraire, des Notes explicatives, une Documentation thématique,
des Jugements, un Questionnaire et des Sujets de devoirs,

par

MICHEL DANSEL
Professeur de Lettres

et une introduction

de

ANDRÉ GENEST
Psychologue

LIBRAIRIE LAROUSSE
17, rue du Montparnasse, 75298 PARIS

RÉSUMÉ CHRONOLOGIQUE
DE LA VIE DE PAUL VERLAINE
1844-1896

1844 — **Naissance, le 30 mars, à Metz, de Paul Marie Verlaine.** Son père, Nicolas-Auguste Verlaine (1798-1865), originaire de Bertrix (Luxembourg belge), est alors capitaine adjudant-major au 2e régiment du génie. Sa mère, Julie Josèphe Stéphanie Dehée (1812-1886), originaire de Fampoux, près d'Arras, descendait d'une famille de fabricants d'huile.

1851 — Le capitaine Verlaine donne sa démission d'officier. **La famille s'installe à Paris,** 10, rue Saint-Louis (aujourd'hui rue Nollet). Le jeune Paul est mis dans une institution de la rue Hélène.

1853 — Elève de l'institution Landry, rue Chaptal.

1855 — Entre en 7e au **lycée Bonaparte** tout en restant pensionnaire de l'institution Landry.

1858 — Envoie ses premiers vers (*la Mort*) à Victor Hugo.

1860 — Fait la connaissance d'Edmond Lepelletier, qui deviendra son ami jusqu'à la fin et son biographe.

1862 — Est reçu bachelier ès lettres. S'inscrit à la faculté de droit.

1863 — **Publie ses premiers vers, sous le nom de Pablo,** dans la *Revue du progrès moral, littéraire, artistique et scientifique.* Fréquente le salon des Ricard, y rencontre Banville, Villiers de l'Isle-Adam, Chabrier, Coppée, Heredia, Mendès, etc.

1864 — Est employé à la compagnie d'assurance « l'Aigle et le Soleil réunis ». Est nommé expéditionnaire dans les bureaux de la ville de Paris.

1865 — Collabore au *Hanneton* puis à l'*Art.* Mort du capitaine Verlaine.

1866 — Les *Poèmes saturniens* (505 exemplaires) publiés chez Alphonse Lemerre.

1869 — Les *Fêtes galantes* (360 exemplaires). Publie les premiers poèmes de *la Bonne Chanson.* Fiançailles avec Mathilde Mauté. Tendance à l'ivrognerie. Manque de tuer sa mère.

1870 — **Publie la Bonne Chanson** (590 exemplaires). **Mariage.** S'engage au 160e bataillon de la garde nationale. S'installe avec sa femme, 2, rue du Cardinal-Lemoine.

1871 — « Chef du Bureau de la presse » pendant le siège de Paris et la Commune. A la victoire de Thiers **se réfugie à la campagne. Première lettre de Rimbaud;** réponse de Verlaine : « Venez, chère grande âme, on vous appelle, on vous attend [...]. » Arrivée de Rimbaud chez les Mauté. Verlaine s'enivre, bat sa femme. Naissance de Georges, fils du poète.

1872 — **Tente d'étrangler sa femme. Va rejoindre Rimbaud.** Les deux poètes partent pour les Ardennes et la Belgique. Mathilde Verlaine accorde son pardon à Paul, elle vient le chercher à Bruxelles; arrivé à la frontière, le poète rebrousse chemin. Frappe de plusieurs coups de couteau le jeune Arthur. Verlaine et Rimbaud s'embarquent à Ostende pour Douvres. Vivent à Londres. Retour de Rimbaud. Verlaine tombe malade; sa mère passe la Manche pour le soigner.

© *Librairie Larousse*, 1973.   ISBN 2-03-870180-6

1873 — **Rimbaud à Londres.** Les deux poètes s'embarquent pour la Belgique, puis retournent à Londres, où ils vivent sans ressources. Verlaine abandonne subitement Rimbaud, qui le rejoint à Bruxelles. Il tire deux coups de revolver sur Rimbaud et le blesse légèrement. **Prison des Petits-Carmes ;** il est condamné à deux ans de prison et transféré à Mons.

1874 — **Romances sans paroles** (600 exemplaires). Apprend dans sa prison le jugement de séparation de corps et de biens obtenu par sa femme. Le poète annonce sa **conversion** à l'aumônier.

1875 — **Sort de prison.** Est expulsé de Belgique. Va retrouver Rimbaud à Stuttgart. Débarque à Londres. Rencontre Germain Nouveau. **Professeur de français et de dessin** à la *Grammar School*, à Stickney. Vacances chez sa mère, à Arras. **Rupture définitive avec Rimbaud.**

1876 — Enseigne à Bournemouth (Angleterre).

1877 — Invite Germain Nouveau à Arras. Succède à son ami Delahaye comme professeur de français, anglais, histoire et géographie à l'institution Notre-Dame de Rethel.

1879 — Séjour en Angleterre avec Lucien Létinois.

1880 — Achète une ferme à Juniville, près de Coulommes. S'y installe avec le jeune Létinois.

1881 — **Publication de Sagesse** à compte d'auteur.

1882 — Collabore à *Paris moderne* et à *la Nouvelle Rive gauche*, revues d'avant-garde.

1883 — Mort de Lucien Létinois. Verlaine mène à Coulommes une existence vagabonde.

1884 — **Les Poètes maudits** (253 exemplaires).

1885 — Est condamné à **un mois de prison pour avoir tenté d'étrangler sa mère.** *Jadis et Naguère* (500 exemplaires).

1886 — Mort de sa mère. Hôpital Tenon. Hôpital Broussais.

1887 — Hôpital Cochin. Envisage le suicide. Dénuement complet. Hôpital Tenon. Asile de Vincennes. Hôpital Broussais.

1888 — *Amour.*

1889 — *Parallèlement.* Hôpital Broussais. Cure à Aix-les-Bains.

1890 — *Dédicaces* (350 exemplaires). Hôpital Cochin. Asile de Vincennes. Hôpital Broussais. **Publication clandestine de Femmes** (175 exemplaires).

1891 — Hôpital Saint-Antoine. *Bonheur. Les Uns et les autres.* Mort de Rimbaud. **Choix de poésies. Mes hôpitaux. Chansons pour elle.**

1892 — **Vit avec Eugénie Krantz.** Tournée de conférences en **Hollande.** *Liturgies intimes.* Hôpital Broussais.

1893 — Conférences en Belgique et en Angleterre. *Élégies. Odes en son honneur. Mes prisons.* Candidat à l'Académie française. Hôpital Broussais. *Quinze jours en Hollande.*

1894 — Hôpital Saint-Louis. *Dans les limbes. Madame Aubin.* Succède à Leconte de Lisle comme « prince des poètes ». Hôpital Bichat. *Épigrammes.*

1895 — *Les Confessions.*

1896 — **Meurt rue Descartes.** *Chair. Invectives.*

Verlaine avait trente-six ans de moins que Nerval ; vingt-six ans de moins que Leconte de Lisle ; vingt-trois ans de moins que Baudelaire et que Flaubert ; deux ans de moins que Mallarmé et que Charles Cros. Il avait un an de plus que Corbière ; deux ans de plus que Lautréamont ; huit ans de plus que Germain Nouveau ; dix ans de plus que Rimbaud ; quatorze ans de plus que Remy de Gourmont ; seize ans de plus que Jules Laforgue.

PAUL VERLAINE ET SON TEMPS

	la vie et l'œuvre de Paul Verlaine	le mouvement intellectuel et artistique	les événements historiques
1844	Naissance de Paul Verlaine à Metz (30 mars).	A. Dumas : les Trois Mousquetaires. E. Sue : le Juif errant. Alfred de Musset : Pierre et Camille. Balzac : les Paysans. Télégraphe Morse.	Mazzini fonde la Jeune Europe. Conquête de l'Algérie : bataille de l'Isly. Protectorat français à Tahiti.
1855	Entre en 7e au lycée Bonaparte (Paris).	Mort de Gérard de Nerval. Naissance d'Emile Verhaeren. G. Courbet : l'Atelier. Synthèse de l'alcool par Berthelot.	Alliance franco-anglaise contre la Russie. Chute de Sébastopol.
1862	Reçu bachelier ès lettres.	G. Flaubert : Salammbô. V. Hugo : les Misérables. E. Fromentin : Dominique. Leconte de Lisle : Poèmes barbares.	Campagne du Mexique : siège de Puebla par les troupes françaises. Guerre de Sécession aux Etats-Unis. Bismarck. Premier ministre.
1863	Publie ses premiers vers dans la Revue du progrès moral. Fréquente le salon des Ricard.	Manet : le Déjeuner sur l'herbe. Taine : Histoire de la littérature anglaise. E. Renan : Vie de Jésus.	Pour se protéger contre le Siam, Norodom (1859-1904) se place sous le protectorat français. Mexique : la France retire ses troupes.
1865	Mort de son père.	K. Marx : le Capital. Carpeaux : Flore. Manet : Olympia. Mort de Proudhon. Lois de Mendel.	Abolition de l'esclavage aux États-Unis. Napoléon III favorise l'alliance de la Prusse avec l'Italie.
1866	Poèmes saturniens.	Premier Parnasse contemporain. Baudelaire : les Épaves. Victor Hugo : les Travailleurs de la mer. Dostoïevski : Crime et châtiment.	L'Autriche, vaincue par la Prusse à Sadowa, est exclue de la Confédération germanique.
1869	Les Fêtes galantes. Fiançailles avec Mathilde Mauté.	Lautréamont : les Chants de Maldoror. Flaubert : l'Éducation sentimentale. Alphonse Daudet : Lettres de mon moulin. Tolstoï : Guerre et Paix. Mort de Lamartine et de Sainte-Beuve.	Congrès socialiste de Bâle. Concile du Vatican. Ouverture du canal de Suez à la grande navigation.
1870	La Bonne Chanson. Se marie.	H. Taine : De l'intelligence. Cézanne : Nature morte à la pendule.	Guerre franco-allemande (juillet). Défaite de Sedan et chute de l'Empire (4 septembre).

1871	« Chef du Bureau de la presse ». Accueille Rimbaud.	E. Zola : la Fortune des Rougon. Mort de Pierre Leroux. G. Sand : Journal d'un voyageur pendant la guerre.	Fin du siège de Paris (28 janvier). Proclamation de l'Empire allemand. Traité de Francfort (10 mai). La Commune (mars-mai).
1872	Mésentente conjugale. Voyage en Belgique et en Angleterre avec Rimbaud.	Jules Verne : le Tour du monde en quatre-vingts jours. Bizet : l'Arlésienne. Daumier : la Monarchie. Victor Hugo : l'Année terrible.	Interdiction de l'ordre des Jésuites en Allemagne. Début du Kulturkampf.
1873	Blesse Rimbaud. Est condamné à deux ans de prison.	Tristan Corbière : les Amours jaunes. Rimbaud : Une saison en enfer. E. Zola : le Ventre de Paris.	Démission de Thiers (24 mai), remplacé par Mac-Mahon. Libération définitive du territoire.
1874	Romances sans paroles. Jugement de séparation obtenu par sa femme. Conversion.	Barbey d'Aurevilly : les Diaboliques. V. Hugo : Quatrevingt-Treize. C. Franck : Rédemption. Moussorgski : Boris Godounov.	Après l'échec de la tentative de restauration monarchique, mise en place des structures républicaines. Chute de Gladstone. Ministère Disraeli. Factory Act limitant la durée du travail.
1875	Professeur de français en Angleterre. Rupture définitive avec Rimbaud.	Renan : l'Antéchrist. M. Twain : Tom Sawyer. Manet : les Canotiers d'Argenteuil. Naissance de Thomas Mann, de Rilke et de M. Ravel. Mort de Tristan Corbière.	Vote de l'amendement Wallon. Abolition de la loi maître et serviteur. Les congrégations sont expulsées d'Allemagne. Révolte de l'Herzégovine.
1881	Sagesse.	Flaubert : Bouvard et Pécuchet. A. France : le Crime de Sylvestre Bonnard. Mort de Dostoievski et de Moussorgski. Naissance de Picasso.	Loi sur la liberté de la presse. Elections législatives : ministère Gambetta. Les Français en Tunisie (traité du Bardo, 12 mai). Assassinat d'Alexandre II.
1884	Les Poètes maudits.	Leconte de Lisle : Poèmes tragiques. Moréas : les Syrtes. C. Franck : Variations symphoniques. Daimler et Maybach : le moteur à essence.	Chute de Gambetta. Conférence internationale de Berlin. Loi sur les syndicats ouvriers. Rencontre des trois empereurs à Skierniewice.
1885	Jadis et Naguère. Condamné à un mois de prison.	Jules Laforgue : les Complaintes. Henry Becque : la Parisienne. Zola : Germinal. Pasteur : premier vaccin antirabique. Mort de V. Hugo.	Chute de J. Ferry après l'évacuation de Lang-Son (Tonkin) par les troupes françaises. Recul des républicains aux élections générales.

PAUL VERLAINE ET SON TEMPS

	la vie et l'œuvre de Paul Verlaine	le mouvement intellectuel et artistique	les événements historiques
1886	Mort de sa mère. Séjourne dans les hôpitaux.	18 septembre : Manifeste du symbolisme de Jean Moréas dans le supplément littéraire du Figaro. Rimbaud : les Illuminations. L. Bloy : le Désespéré.	Boulanger, ministre de la Guerre. Chamberlain rompt avec Gladstone. Grève des mineurs de Decazeville.
1888	Amour.	Barrès : Sous l'œil des Barbares. Th. Ribot : Psychologie de l'attention. Mort d'E. Labiche.	Inauguration de l'Institut Pasteur. Guillaume II succède à Guillaume 1er.
1889	Parallèlement. Cure à Aix-les-Bains.	Vielé-Griffin : Joies. André Fontainas : le Sang des fleurs. Maurice Barrès : Un homme libre.	Japon : première Constitution. Fondation du parti social-démocrate en Autriche.
1890	Dédicaces. Désormais, séjournera très souvent dans les hôpitaux. Femmes.	H. de Régnier : Poèmes anciens et romanesques. P. Claudel : Tête d'or. Zola : la Bête humaine. Branly : la télégraphie sans fil. Mort de César Franck.	Première manifestation du 1er mai. Fondation du parti social-démocrate allemand.
1891	Bonheur. Les Uns et les autres. Choix de poésies. Mes hôpitaux. Chansons pour elle.	Moréas : le Pèlerin passionné. Cl. Monet : les Nymphéas. Mort d'A. Rimbaud.	Création de l'Union pangermaniste.
1892	Conférences en Hollande. Liturgies intimes.	H. de Régnier : Tel qu'en songe. Gauguin à Tahiti écrit et illustre Noa Noa. Naissance de Gromaire.	Scandale de Panama. Formation du parti socialiste italien.
1893	Conférences en Belgique et en Angleterre. Elégies. Odes en son honneur. Mes prisons.	J. M. de Heredia : les Trophées. Verhaeren : les Campagnes hallucinées.	Traité de Bangkok : le Laos, protectorat français.
1894	Dans les limbes. Madame Aubin. Elu « prince des poètes ». Epigrammes.	A. Mockel : Propos de littérature. Cl. Debussy : Prélude à l'après-midi d'un faune.	Assassinat de Sadi-Carnot. Premier procès Dreyfus.
1895	Les Confessions.	Verhaeren : les Villes tentaculaires.	Fin de la guerre sino-japonaise.
1896	Mort de Paul Verlaine (8 janvier) à Paris. Chair. Invectives.	S. Mallarmé élu « prince des poètes ». Paul Fort : Ballades.	Soumission et annexion de Madagascar.

BIBLIOGRAPHIE SOMMAIRE

OUVRAGES CRITIQUES (ÉDITIONS POSTÉRIEURES À 1950)
SUR VERLAINE ET SUR SON ŒUVRE

Antoine Adam	*Verlaine, l'homme et l'œuvre* (Paris, Hatier-Boivin, 1953 ; nouv. éd., 1963).
Jean Richer	*Paul Verlaine* (Paris, Seghers, 1953 ; nouv. éd., 1962).
V. P. Underwood	*Verlaine et l'Angleterre* (Paris, Nizet, 1956).
Octave Nadal	*Paul Verlaine* (Paris, Mercure de France, 1961).
Georges Zayed	*la Formation littéraire de Verlaine* (Paris, Minard, 1962).
Claude Cuénot	*le Style de Paul Verlaine* 2 vol. (Paris, C. D. U., 1963).
Jacques Henry Bornecque	*Verlaine par lui-même* (Paris, Seuil, 1966).
E. M. Zimmermann	*Magies de Verlaine* (Paris, Corti, 1967).
J. S. Chaussivert	*l'Art verlainien dans la Bonne Chanson* (Paris, Nizet, 1973).
Paule Soulié-Lapeyre	*le Vague et l'aigu dans la perception verlainienne* (Paris, Les Belles Lettres, 1975).
André Vial	*Verlaine et les siens, heures retrouvées. Poèmes et documents inédits* (Paris, Nizet, 1975).
Louis Aguettant	*Verlaine* (Paris, Éd. du Cerf, 1978).

SUR LE MOUVEMENT POÉTIQUE À LA FIN DU XIXe SIÈCLE

Paul Verlaine	*les Poètes maudits,* œuvres complètes (Paris, Messein, 1912).
Remy de Gourmont	*le Livre des masques* (Paris, Mercure de France, 1914).
Marcel Raymond	*De Baudelaire au surréalisme* (Paris, José Corti, 1947).
Guy Michaud	*Message poétique du symbolisme* (Paris, Nizet, 1947).
Henri Clouard	*Histoire de la littérature française du symbolisme à nos jours* (Paris, Albin Michel, 1947).
Georges Emmanuel Clancier	*De Rimbaud au surréalisme* (Paris, Pierre Seghers, 1959).
Albert Thibaudet	*Histoire de la littérature de 1789 à nos jours* (Paris, Stock, 1936 ; réédition en 1963).

21

En sourdine

Calmes dans le demi jour
Que les branches hautes font
Pénétrons bien notre amour
De ce silence profond.

Fondons nos âmes, nos cœurs
Et nos sens extasiés
Parmi les vagues langueurs
Des pins et des arbousiers.

Ferme tes yeux à demi
Croise tes bras sur ton sein
Et de ton cœur endormi
Chasse à jamais tout dessein.

Laissons-nous persuader
Au souffle berceur et doux
Qui vient à tes pieds rider
Les ondes de gazon roux.

Et lorsque l'automnal soir
Des chênes noirs tombera,
Voix de notre désespoir
Le rossignol chantera.

Phot. Alain Canda.

LE GESTE SCRIPTURAL DE PAUL VERLAINE

PAUL VERLAINE

Dans notre itinéraire, nous ferons une brève incursion dans les zones plus ou moins obscures de la personnalité de Paul Verlaine, ceci non dans la perspective d'expliquer spéculativement sa poésie, mais plutôt afin d'esquisser le portrait psychologique de l'homme.

L'enfant Paul Verlaine a pour père un officier distant, effacé dans son foyer, aux principes rigides et honorables mais, semble-t-il, au comportement dépourvu de chaleur et de cordialité. L'affection va donc lui être dévolue par sa mère, une femme extravertie, médiocrement intelligente et possessive, qui maternera son rejeton au-delà des âges généralement admis à cette époque où l'on professait une éducation virile assez précoce. Il en résulte une fixation de Paul à sa mère. Cela jouera un rôle déterminant dans le choix de ses attachements futurs, vouera son caractère à la faiblesse et facilitera, dans une mesure relative, ses déviations sexuelles ultérieures.

A l'âge de neuf ans, Paul fit sa première fugue, qui traduisait surtout une fuite devant la dureté mâle et combative du monde (représentée par la pension où on l'avait placé) vers le giron maternel, douillet et protecteur. Ainsi se trouvait déjà amorcé le processus d'hypersensibilité et de fuite qui, par des instabilités successives, devait le mener, de débauches en turpitudes et en dépravations, jusqu'à la déchéance physique, et même jusqu'à l'extinction de son talent.

A ce bilan suffisamment lourd pour gâcher une existence, amputer un don et troubler de belles qualités intellectuelles, il faut ajouter une hérédité alcoolique provenant du grand-père paternel, un notaire qui délaissait son étude pour le cabaret; un physique considéré comme ingrat et malgracieux, et qu'accentue une calvitie précoce; enfin, la séquelle d'une passion trouble, quasi incestueuse, ressentie au moment de l'adolescence pour Elisa, une cousine plus âgée et déjà mariée. Tous ces facteurs font du jeune poète de vingt-cinq ans un psychopathe aux manières brusques, instable, velléitaire, avec des phases de dépression entrecoupées de colères de forcené, sporadiquement adonné à l'ivrognerie, homosexuel intermittent, sujet aux foucades, aux rêveries, aux projets fantasques. Un tableau clinique déjà chargé, qui ne fera que s'aggraver selon une succession de crises dramatiques que de nombreux biographes ont étudiées.

A ce tableau assurément sombre se juxtapose toute la palette des mille nuances délicates de la sensibilité poétique : la musicalité du vers et du mot, le sens du rythme, de l'image, la richesse des impressions, l'émotion devant des thèmes poétiques, la nostalgie, la grâce du verbe, la maîtrise du langage, l'énergie ou la tendresse du ton; parfois l'amertume ou la férocité, voire l'aigreur; toutes les rêveries, tous les regrets, toutes les délicatesses et toute l'impudicité des poètes de la fatalité.

En réalité, Verlaine est un infantile psychique qui traîne une affectivité immature fort nuisible à son adaptation sociale. D'où son inclination à la rêverie, dans laquelle il se réfugie. Son univers mental est peuplé de fantasmes et de regrets, mais parfois des rayons éblouissants d'amour et de piété viennent calciner le paysage triste. Cet univers est régi par un tempérament *saturnien* dont le poète avait, par sa seule intuition, merveilleusement défini les contours. D'où, outre la bizarrerie de ses humeurs, son attirance pour l'eau, les paysages aquatiques ou brumeux, le crépuscule, la lumière lunaire : tous les éléments dont le symbolisme est de principe féminin et passif.

La puissance créatrice du poète transparaît jusque dans son écriture, nerveuse, acérée, où se reconnaissent impulsivité, emballement colérique, primarité de l'émotion.

Narcissisme et masochisme le font glisser progressivement vers le principe féminin de sa nature infantile et le conduisent à stéréotyper des amitiés au moyen desquelles sa bisexualité peut projeter une partie de sa libido (celle à tendance féminine) sur un homme.

Pareil potentiel affectif, à ce point oblitéré par l'héritage, par l'empreinte de la basse enfance et par quelques revers, nourri par une sensibilité très vive, déboucha sur une activité poétique profuse, originale et profonde en dépit des apparences, même si inégale. Et ce, pour l'honneur de notre poésie.

ANDRÉ GENEST.

CHOIX DE POÉSIES
1866-1896

NOTICE

CE QUI SE PASSAIT ENTRE 1866 ET 1896

■ **EN POLITIQUE** : *La France déclare la guerre à la Prusse (19 juillet 1870). Chute de Paris et armistice franco-prussien (28 janvier 1871). La majorité conservatrice élit Thiers chef du pouvoir exécutif (février 1871). Insurrection de la Commune (18 mars-28 mai 1871). Échec de la restauration et fondation de la République (1873-1875). Enseignement primaire gratuit (juin 1881). La crise boulangiste (1885-1889). Début de l'Affaire Dreyfus (1894).*

■ *EN LITTÉRATURE* : Lautréamont, les Chants de Maldoror (1869); T. Corbière, les Amours jaunes (1873); Rimbaud, Une saison en enfer (1873); Jules Verne, le Tour du monde en quatre-vingts jours (1873); Mallarmé, l'Après-midi d'un faune (1876); Nietzsche, Humain trop humain (1878); Huysmans, À rebours (1884); J. Laforgue, les Complaintes (1885); Pierre Loti, Pêcheur d'Islande (1886); Alfred Jarry, Ubu roi (1896).

■ *DANS LES ARTS* : Manet, le Fifre (1866); Offenbach, la Vie parisienne (1866); Carpeaux, la Danse (1869), groupe sculpté pour la façade de l'Opéra de Paris; début des fouilles de Schliemann à Troie (1870); Degas, la Classe de danse (1872); Lalo, Symphonie espagnole (1873); Bizet, Carmen (1873-74); Salon de 1874, l'impressionnisme; Puvis de Chavannes, fresques du Panthéon (1874); inauguration de l'Opéra de Paris, construit par C. Garnier (1875); Renoir, le Moulin de la Galette (1876); organisation de l'École nationale des arts décoratifs (1877); C. Franck, Rébecca (1881); Debussy, l'Enfant prodigue (1884); Rodin, les Bourgeois de Calais (1884-1889); James Ensor, l'Entrée du Christ à Bruxelles (1888); Dutert, la Galerie des machines à l'Exposition universelle (1889); A. Dvořák, Symphonie dite du Nouveau Monde (1894).

SEMI-CLANDESTINITÉ SOCIALE DU POÈTE

La poésie est une nécessité en même temps qu'un fait social. Elle ruisselle dans l'histoire des civilisations, comme elle coule dans nos artères, avec un débit variable. Dans notre code, les créateurs qui s'adonnent à la pratique de cet art s'appellent des poètes. Ces voyants fixent leurs évocations au moyen de l'écriture, ce qui nous conduit, toujours dans notre code, à ne reconnaître comme légitime que le couple *poésie-écriture*. Certains élus habités par cette forme de la communication dotent ce véhicule d'un attelage hallucinant que seul le souffle du sacré peut précipiter sur la piste du magique et de la résonance intérieure. Dès l'origine, le poète fut considéré « comme l'agent le plus actif de la civilisation, un dompteur de monstres, le bâtisseur des villes ou encore une sorte de prophète, de médiateur céleste, chargé d'interpréter la parole divine et de faire entendre la vérité aux hommes[1] ». Mais les temps ont changé, et la société n'a pas à s'en enorgueillir. Plus de deux millénaires avant nous, Platon affirmait déjà que les poètes « ne sont point guidés dans leurs créations par la science, mais par une sorte d'instinct et par une inspiration divine, de même que les devins et les prophètes, qui, eux aussi, disent beaucoup de belles choses, mais sans se rendre compte de ce qu'ils disent[2] ». Sur la poésie et sur les poètes, de doctes ouvrages et de remarquables pages d'anthologie furent écrits par les plus brillants esprits de toutes les époques : d'Aristote et d'Horace à Paul Claudel, Apollinaire, Paul Valéry, Gaston Bachelard, André Breton, Paul Eluard ; de Shakespeare à Rimbaud ; de Baudelaire à Goethe ; de Ronsard à Jean-Paul Sartre ; etc. Car la poésie occupe une place privilégiée au cœur de nos préoccupations. Elle circonscrit l'homme et ses thèmes de toujours — l'amour et la mort — dans le quotidien, le quotidien dans l'universel et l'universel dans le séisme verbal. Pierre Reverdy nous en donne une image très photographique : « La poésie de celui qui écrit est comme le négatif de l'opération poétique et le positif se trouve dans le lecteur. Ce n'est que quand l'œuvre a pris toutes ses valeurs dans la sensibilité du lecteur, qu'elle peut être considérée comme réalisée...[3] »

Pour tout un secteur de la société, la poésie constitue un garde-fou, au même titre qu'un pénitencier ou qu'un asile psychiatrique. Cela permet de contenir et de maintenir en milieu carcéral des chevaliers du rêve, ces assassins potentiels ! Cela permet encore de se réjouir, puisque des enfants terribles, des ratés et des paresseux ont été récupérés par un « ordre » qui les rend inoffensifs. Car il faut bien le dire : pour beaucoup, la poésie constitue un acte délictueux. D'un point de vue sociologique, le poète est par définition un *anti*, un oisif, un improductif, donc un coupable. En effet, cet « homme par excellence », comme le désignait Chateaubriand, conjugue les caractéristiques de l'enfant, du fou et de l'assassin. Mais adaptons ce cliché terrorisant sur un autre kaléidoscope, ce qui nous offre une trilogie plus optimiste : le naïf, le visionnaire, le déterminé ; ou encore : le joueur, l'audacieux, le désespéré.

Quand le poète ausculte le ciel, il ressent dans ses viscères les palpitations de la vie sous ses formes les plus complexes. Ce simple détail en dit long sur l'implication, le rôle et la nécessité du poète dans l'histoire de l'humanité. Une société veuve de ses poètes serait une société inconcevable, gravement infirme, ou calcinée. Les textes sacrés nous en donnent témoignage : tous les chemins de la vie convergent vers l'événement poétique.

Paul Verlaine est le type même de l'asocial dont le public se méfie, et, bien que depuis fort longtemps il navigue sur le Styx, son fantôme, qui a

---

1. Ernest Raynaud, *la Mêlée symboliste de 1900 à 1910* (la Renaissance du livre), tome III, page 18 ; 2. *Apologie de Socrate* ; 3. *le Gant de crin.*

survécu aux miasmes de l'absinthe, terrorise encore un certain nombre de consciences. Pauvre Lélian[4] ne reçut pas les honneurs de l'Académie ; d'ailleurs, pour des raisons extérieures à son talent, c'eût été inconcevable qu'il en fût... Mais, pour la félicité de quelques âmes raisonnables, il est mort ; il ne représente donc pas pour la société un individu subversif par sa marginalité. Au contraire, dans les bibliothèques de la bonne conscience, il trône pour l'honneur : « Le diable au paradis, pourquoi pas ? » se dit-on. Aussi, l'exemple de Verlaine demeure très présent dans les esprits qui arguent de l'échec social de l'homme. Et pour le plus grand nombre, derrière la condition de poète, se profile la silhouette de l'ivrogne interlope qui fut, entre autres, l'ami du jeune Rimbaud. Sous cet éclairage, l'appellation de poète ne recouvre, effectivement, que des réalités outrageantes. De son vivant, et pour être admis, le poète doit entrer d'une façon flagrante dans la statistique du livre, il doit constituer un point de référence contrôlable, il doit avoir hérité, par l'occulte « bureaucratie » de la mode qui hisse ou met en berne les pavillons des destinées littéraires, d'une sorte de passeport social qui lui assurera l'immunité. Alors, et à cette seule condition, il sera adulé et ses incartades lui seront pardonnées. S'il a déserté la planète et que la postérité l'exhume, l'humanité de service lui clamera la bienvenue. Il y a mille manières d'assumer son métier d'homme, comme il y a mille manières de mener son aventure poétique : pour cette raison, nous proclamons l'unicité du cas Verlaine, qui ne fut ni celui de Lautréamont, de Corbière, de Léon Deubel, d'Antonin Artaud ni celui d'Adrian Miatlev, lesquels, tout comme Verlaine, furent d'authentiques maudits. Nous voudrions effacer à tout jamais le stéréotype hautement vexatoire, mais tellement commode en guise de bouclier, du poète toxicomane, éthylique, homosexuel. Car une telle attitude ne pourrait que constituer un flagrant délit de surdité à l'égard de la chose poétique, cette chose qui se manifeste par la voix de certains hommes que l'on a coutume, dans notre code, d'appeler des poètes.

LA MALÉDICTION DE PAUL VERLAINE

« Poète maudit » est une formule galvaudée qui ne recouvre que des réalités approximatives. Nous sommes tous plus ou moins fascinés et corrompus par le monde des apparences, qui nous aveugle et nous impose des masques sereins, rubiconds ou folâtres. Aussi, quand par extraordinaire nous croisons un visage, nous le prenons volontiers pour un masque. Nous n'y pouvons mais... et, au vrai, semblable bévue n'est point catastrophique ; après tout, le myosotis et la rhubarbe s'alimentent à la même terre. Cette remarque faite, nous déclarerons que tout poète authentique est un maudit, un apôtre de l'ambivalence, qui oscille entre des villégiatures astrales

---

4. Dans l'étude qu'il consacra aux *Poètes maudits*, Verlaine cite : Tristan Corbière, Arthur Rimbaud, Stéphane Mallarmé, Marceline Desbordes-Valmore, Villiers de L'Isle-Adam, Pauvre Lélian. Ce dernier nom n'est autre que l'anagramme de Paul Verlaine.

et des présences terrestres. Quant au concept de la malédiction, il apparaît aussi brumeux que le ciel des Ardennes qui abritait les plaintes mélancoliques du Pauvre Lélian. Il existe tout simplement des maudits plus douloureusement pittoresques que d'autres, avec de la vraie misère en exergue sur le cœur. Mais si la malédiction dont nous entendons parler ici était synonyme de misère, de prison, d'hôpital et de suicide, notre planète serait peuplée de maudits plus déshérités que ne le furent Mallarmé, Laforgue ou le fils de famille Paul Verlaine. Ce qui nous conduit à penser qu'entre Verlaine et Mallarmé le plus maudit des deux n'est pas toujours celui auquel on pense. De la même manière, nous n'avons pas le droit d'affirmer qu'Antonin Artaud fut plus maudit que Jacques Audiberti ou que Paul Chaulot. La malédiction des poètes ne fleurit pas toujours sur une barbe arrosée de vin rouge. La malédiction, nous l'avons dit, dévore, mais d'une manière différente, tous les poètes, y compris ceux qui paraissent le mieux intégrés dans la vie sociale. Et n'oublions jamais que tenter de traduire l'incommunicable est toujours un acte d'amour et de souffrance.

De la malédiction en général, venons-en à celle de Verlaine en particulier. L'insatisfaction d'être et la quête d'absolu sont les deux poutres maîtresses qui soutiennent l'édifice verlainien : pour cette raison, notre poète « constitue un mélange infiniment compliqué de sincérité et de fausseté, de candeur et de cynisme, de naïveté et de rouerie[5] ». Déjà l'approche du milieu familial nous laisse entrevoir la figure d'un ancêtre inquiétant par sa violence et son éthylisme : le sieur Henry Joseph Verlaine (1769-1805), notaire de son état à Bertrix et grand-père du poète. Pour ce qui est de l'ascendance maternelle, les Dehée, des fabricants d'huile d'Arras, nous évoquerons le souvenir d'un cousin d'Elisa, Pierre François Dehée, signalé dans un rapport officiel comme « un de ces personnages désœuvrés, ayant un peu appris et ne sachant rien, se croyant tout permis dans la commune de Fampoux[6] : homme dangereux tant en politique qu'en administration[7] ». Quant à la mère du poète, sa morbidité ne laisse de nous surprendre : en effet, comme le raconte Jean Richer[8], ne conservait-elle pas dans des bocaux d'alcool les fruits de trois grossesses malheureuses ! Ces brèves indications nous renseignent peut-être sur la charge héréditaire possible qui échut à Paul Verlaine, c'est-à-dire la prédisposition à la morbidité, à la violence et à l'ivrognerie.

Quand Paul accosta la Planète pour le ravissement de ses parents, mais aussi pour le bonheur de la poésie française[9], sa mère, qui désirait ardemment une fille, lui donna le second prénom de Marie. Notre natif du Bélier ascendant Scorpion se trouvait donc parrainé par un troisième signe, celui de la Sainte Vierge. Poursuivons cet itinéraire insidieux, qui n'est autre que celui de la malédiction. Jusqu'à l'âge de huit ans, le jeune Paul vécut à Metz avec, entre sa quatrième et sa cinquième année, un long séjour

---

5. Marcel Coulon, *Au cœur de Rimbaud et de Verlaine* (Paris, le Livre, 1925), page 14 ; 6. Commune du Pas-de-Calais, près d'Arras ; 7. Cité par Jean Richer, *Paul Verlaine* (coll. « Poètes d'aujourd'hui »), page 10 ; 8. *Op. cit.* ; 9. Nous songeons à Rimbaud, qui n'aurait peut-être pas écrit ce qu'il a écrit, et à Tristan Corbière, qui serait resté dans l'ombre.

à Nîmes. Puis les parents s'installèrent à Paris. Cette transplantation précoce favorisera peut-être chez l'enfant une instabilité qui connaîtra un prolongement dans la fugue, le voyage, le vagabondage et l'exil. Sur un autre plan, son passage dans les institutions, noyé au milieu d'un maternage excessif, le lésa vraisemblablement dans son équilibre affectif. Un tel acquis devait-il orienter une destinée? Cette hypothèse nous séduit volontiers, d'autant plus que la conjugaison d'une nature douée, sensible, passive en même temps que vacante et d'un inventaire atavique et affectif tel que celui de Verlaine ne peut qu'entraîner une destinée hors du commun.

La quête d'absolu conduisit Pauvre Lélian à pourchasser sa vie durant l'insaisissable spectre du bonheur. Pourtant, derrière le chevalier de la volupté qu'il fut, se profile un homme au cœur tendre et sincère qui poursuivit la transhumance de ses instincts vers des sommets qui devinrent autant de refuges et de désillusions. Les grandes escales de son itinéraire affectif, qui débute par sa mère et se termine par Dieu, s'appellent Elisa Moncomble, Mathilde Mauté et Arthur Rimbaud. Dans la géographie de ses liaisons mixtes, nous relèverons encore les noms de Lucien Viotti, de Lucien Létinois, de Philomène Boudin et d'Eugénie Krantz. Entre la nostalgie d'un amour déserté et la passion d'un visage nouveau, Verlaine bivouaque sur les sentiers du rêve. Mais quand il se trouve confronté avec la réalité de ses désirs, il regimbe et détruit l'effigie du bonheur. Pour la petite histoire, rappelons qu'il manqua de trucider sa mère, sa femme et Rimbaud. Verlaine offrait aux êtres pour lesquels il se passionnait volupté et violence. Tout le drame verlainien repose donc sur la défaite de la relation sociale. L'âme du poète ne peut trouver sa mesure que dans les coulisses du passé et de l'espoir. Issu d'une famille de la bonne bourgeoisie, enfant, il ne connut point les affres de la pauvreté. Aussi, le point de départ de sa malédiction est-il extérieur à ce qu'il convient de nommer la misère. Irresponsable pour certains ou responsable pour d'autres des situations d'échec qu'il entretenait, Pauvre Lélian, qui noyait le présent dans l'alcool, allait se retrouver à quarante ans passés (1885) vagabondant, après plusieurs internements en prison, sur les routes ardennaises. A partir de cette date et jusqu'à sa mort, Verlaine sombrera dans le dénuement le plus complet. Pourtant, malade et démuni (on enregistrera vingt séjours dans différents hôpitaux), il ne cessera de s'enivrer et il recherchera la compagnie de filles publiques. Cela ne l'empêchera pas de se présenter à l'Académie française : il rédigera son discours d'entrée, et, le 24 juillet 1893, *le Figaro* devait annoncer que « le poète Paul Verlaine, qui est en ce moment à l'hôpital, se présente à l'Académie française pour le fauteuil de M. Taine ». Deux ans avant sa mort, il recevra des secours du ministère de l'Instruction publique ; François Coppée l'aidera, et, sur l'initiative de Maurice Barrès et du comte de Montesquiou, un comité de quinze personnes adressera, à partir du mois d'août 1894, une pension mensuelle au poète. Celui qui chantait

> Aimons bien fort
> Jusqu'à la mort
>
> (*Chansons pour elle*, XVII)

s'éteindra le 8 janvier 1896.

DE L'IDÉE DE BEAU À PAUL VERLAINE

Pour Paul Valéry, « la poésie est un art du langage ; certaines combinaisons de paroles peuvent produire une émotion que d'autres ne produisent pas, et que nous appellerons *poétique*[10] ». Le cliquetis des mots, quelle que soit la thématique ou la charge spirituelle du poème, n'a pas la même résonance pour chacun. Pour cette raison, la poésie, en dépit de ses tonalités, de ses séismes verbaux, de son raffinement lexical, de ses subtiles vibrations ou de ses grincements, ne parviendra jamais à engendrer le beau et l'émotion au niveau universel. Depuis plus d'un siècle, l'avènement d'une esthétique empreinte de modernité est venu contrecarrer la satisfaction esthétique traditionnelle. Les insurgés, parmi lesquels se range à sa manière Paul Verlaine, l'emportèrent à la longue sur les copistes.

A la faveur de ce courant insurrectionnel issu de la tranchée baudelairienne, les concepts d'émotion et de beauté s'émancipèrent et entreprirent une révolution vertigineuse et contradictoire dans l'esprit de chacun. Des beautés satellites accomplirent leur révolution grâce à l'invasion de quelques « barbares » iconoclastes : inclassables, hors-clan, révoltés-nés, artistes curieusement désignés pour vivre la poésie à temps complet sur le compte d'une destinée qui manqua souvent de leur faire crédit. Ces poètes portent le nom de Lautréamont, Verlaine, Mallarmé, Rimbaud, Tristan Corbière, Charles Cros, Germain Nouveau et Jules Laforgue.

La seule beauté existante est celle qui se réfléchit pour nous et par nous, celle que nous reconnaissons comme telle à un instant précis dans le temps et dans l'espace, celle qui nous meut viscéralement et spirituellement. Aussi comprenons-nous que le public juste-milieu de la génération de Paul Verlaine, garrotté par la séduisante esthétique du Parnasse, trouvait beaux parce que poétiques (harmonieux, conformes aux normes d'un prétendu Beau universel) et réciproquement, les vers de José Maria de Heredia, par exemple, au lieu d'intercepter le cri des poètes de la fatalité qui malaxaient le verbe sous un soleil noir. Dans le contexte insurrectionnel de son époque, Verlaine, qui dans ses débuts contracta une dette importante envers Leconte de Lisle, occupe une place bien à part. La sensibilité lyrique qui caractérise sa poésie n'a point suffi, en effet, à Pauvre Lélian pour que le troisième *Parnasse* (1875) l'admette. Leconte de Lisle, François Coppée et Anatole France avaient leur conception du beau en poésie. Aussi Verlaine, avec son mètre impair, ses contre-rimes, ses phrases brisées en bout de vers, ses rimes tantôt toutes masculines, tantôt toutes féminines, ne pouvait que déplaire à ses juges, qui ne virent en lui qu'un poète au métier relâché. A cette époque, le *métier*, souvent, tenait lieu de *beau*.

---

10. *Œuvres* (la Pléiade), tome I, page 1320.

VERLAINE ET LA SENSIBILITÉ CONTEMPORAINE

A l'heure de la carte perforée et des mutations cosmiques, Verlaine continue a être lu et apprécié tant en France qu'à l'étranger, et plus particulièrement par les Anglo-Saxons. Pourquoi ?

Avant d'éclairer à plein phare le cas Verlaine sous les feux du présent, réintégrons l'époque du Symbolisme. Les poètes décadents portèrent la révolution poétique à des sommets plus audacieux que ceux qu'avait atteints l'authentique symboliste populaire Paul Verlaine, lequel était volontiers considéré par les insurgés comme un chef d'école. Pour se démarquer, ne clamait-il pas : « L'art, mes enfants, c'est d'être absolument soi-même », et, quand on lui parlait du symbolisme, il répondait : « Le symbolisme ? Comprends pas ; ça doit être un mot allemand, hein ? Qu'est-ce que ça peut bien vouloir dire ? Moi, d'ailleurs, je m'en fiche. Quand je souffre, quand je jouis ou quand je pleure, je sais bien que ça n'est pas du symbole[11]. » Verlaine se défendait d'appartenir à une école, de faire figure de théoricien ou de chef de ligne. D'ailleurs, dans une préface aux *Poèmes saturniens* (1890), il déclarait : « Puis n'allez pas prendre au pied de la lettre l' « Art poétique » de *Jadis et Naguère*, qui n'est qu'une chanson après tout ; je n'aurai pas fait de théorie. » Dans un domaine où personne ne l'a rejoint, mais où maintes mazettes l'ont imité, il fut novateur en limpidité mélancolique et musicale. Anatole France avait dit un jour de notre *prince des poètes*[12] : « Certes, il est fou. Mais prenez garde que ce pauvre insensé a créé un art nouveau et qu'il y a quelque chance qu'on dise un jour de lui ce qu'on dit aujourd'hui de François Villon, auquel il faut bien le comparer : " C'était le meilleur poète de son temps "[13]. » Nous nous inscrivons en faux contre Anatole France : les sables mouvants de la sensibilité poétique interdisent toute hiérarchie. Par ailleurs, le pronostic ne recouvre pas une réalité : Rimbaud, Mallarmé, Corbière, Lautréamont ou Jules Laforgue occupent avec plus de présence que Verlaine la scène poétique de cette époque.

*
* *

Les fervents admirateurs de Verlaine se rencontrent presque toujours chez les non-initiés qui prétendent, souvent en toute bonne foi, aimer la poésie. De ce poète ils n'ont en général que quelques vers en tête :

> Il pleure dans mon cœur
> Comme il pleut sur la ville

ou

> Les sanglots longs
> Des violons

---

11. Réponse à l'enquête de Jules Huret (1891) ; 12. Verlaine fut élu « prince des poètes » ; 13. Walch, *Anthologie des poètes français* (Paris, Delagrave, 1906), tome I, page 370.

ou encore

> Je fais souvent ce rêve étrange et pénétrant
> D'une femme inconnue, et que j'aime, et qui m'aime [...]

Leur univers verlainien se limite souvent à une dizaine de pièces et, sous ce fallacieux prétexte, ils établissent des strates aussi épaisses que leur connaissance est mince, proclamant Verlaine le plus grand des poètes. La mélodie et l'absence d'hermétisme permirent à ce poète de subir l'épreuve du temps, ce qui est un critère bien infirme! Dans son *Message poétique du symbolisme*, Guy Michaud écrit : « Des trois silhouettes qui dominent le paysage poétique français dans la seconde moitié du siècle, celle de Verlaine est assurément la moins mystérieuse. Son œuvre ne présente ni cette incohérence ni cet hermétisme qui éloignent de nous, de prime abord, l'œuvre d'un Rimbaud ou d'un Mallarmé. » C'est assurément l'une des clés de la popularité de Verlaine, mais notre poète compense cet avantage mineur par un anachronisme certain. Il se raconte au violon, et toute personne davantage penchée sur elle-même que sur ses semblables a des chances de s'y retrouver. Ses imperfections ne sont que des faiblesses qui ne préfigurent aucun bouleversement. Il se contente d'émouvoir. Nous n'avons pas affaire à un père de la sensibilité moderne, comme c'est le cas avec Rimbaud, Lautréamont, Corbière ou Laforgue. Nous ne contestons pas le très authentique poète et l'artiste Paul Verlaine. Nous contestons la place d'honneur qui lui a été décernée, et ce, au nom de la méconnaissance et du confusionnisme. Mais dans notre société plus tournée vers la chanson que vers le poème, Pauvre Lélian devient le contrepoison de sa propre formule : « De la musique avant toute chose. »

CHOIX DE POÈMES

POÈMES SATURNIENS

MELANCHOLIA

EAUX-FORTES

PAYSAGES TRISTES

CAPRICES

Toute l'âme verlainienne flotte dans ce recueil, où le cauchemar, l'orage qui angoisse le poète, la pluie, la mélancolie et le souvenir triste cohabitent sous l'œil de Saturne. C'est Elisa, la cousine bien aimée, qui offrit au poète de payer les frais de l'édition des *Poèmes saturniens*. Voyons dans ce geste une complicité transposée : un acte d'amour en quelque sorte. Le Pauvre Lélian lança donc sur l'océan littéraire de son époque (1866) ce premier recueil édité à compte d'auteur et tiré à 491 exemplaires. A ce propos, nous constaterons que le conflit qui existe entre poésie et société demeure inchangé : plus d'un siècle après la parution des *Poèmes saturniens*, cette pratique du compte d'auteur subsiste. Il n'y a rien de vexatoire pour un poète d'aujourd'hui à financer, ou à faire financer par des sous-criptions, l'édition de ses recueils.

Les *Poèmes saturniens* constituèrent d'emblée une unité pirate que les corvettes d'un certain bon sens n'épargnèrent point de leurs boulets rouges : « Un Baudelaire puritain sans le talent net de M. Baudelaire, avec des reflets de M. Hugo et d'Alfred de Musset, ici et là. Tel est M. Paul Verlaine. Pas un zeste de plus[14]. » A cette sérieuse canonnade de Barbey d'Aurevilly s'ajoutèrent les éreinte-ments de G. Vapereau : « Un débutant, M. Paul Verlaine, a-t-il espéré ne ressembler à personne en exagérant tous les procédés connus jusqu'ici ? On le dirait à l'affectation de bizarrerie dont les *Poèmes saturniens* sont marqués[15]. » Mais de l'éreintement à la clabauderie il n'y a qu'un pas à faire, et c'est l'obscur Jules Janin qui le fit : « M. Paul Verlaine, auteur de *Poèmes saturniens,* nous met l'esprit à la torture. Il aura lu, en courant, les odes de Ron-sard, il les copie, il les imite ; il ne serait pas fâché qu'on le prît pour un Indien en belle humeur. L'auteur des *Poèmes saturniens*

14. *Les Trente-Sept Médaillonnets du Parnasse contemporain* (le Nain jaune), cité dans les *Poèmes saturniens,* étude de J.-H. Bornecque ; **15.** *L'Année litté-raire et dramatique,* J.-H. Bornecque, *op. cit.*

s'amuse et s'inquiète peu d'amuser son lecteur[16]. » Mais, fort heu-
reusement pour le jeune poète, il y eut des voix qui s'élevèrent
pour célébrer l'événement ; celle de Leconte de Lisle : « Vos *Poèmes
saturniens* vous attireront, indubitablement, mon cher ami, la haine
et les injures des imbéciles qui ne louent que leurs semblables, non
de parti-pris, ce qui supposerait en eux une réflexion quelconque,
mais grâce au flair purement animal dont ils sont affligés. Vos
Poèmes sont d'un vrai poète, d'un artiste très habile déjà et bientôt
maître de l'expression[17]. » Puis la voix de Victor Hugo se fit
entendre : « Vous avez le souffle. Vous avez la vue large et l'esprit
inspiré. Salut à votre succès[18]. » Quant à Goncourt, il voit dans ce
recueil des « mélancolies d'artiste ciselées par un poète[19] ». Enfin,
Banville donne à cette œuvre un passeport pour la modernité ;
il lâche la formule « poésie vivante » : « J'ai été invinciblement
empoigné et comme public et comme artiste... Aussi suis-je certain
que vous êtes un poète et que votre originalité est réelle, car, heu-
reusement, nous sommes tous assez blasés sur toutes les jongleries
possibles pour ne pouvoir être pris que par la poésie vivante[20]. »
Les *Poèmes saturniens* furent donc accueillis avec un bonheur iné-
gal. Deux raisons contradictoires en sont la cause : *a)* on n'accusait
pas Verlaine de ne point avoir été effleuré par les Muses, on lui
reprochait d'être différent en même temps que trop semblable ;
b) on lui jalousait ses maîtres les plus reconnaissables ; d'ailleurs
ne déclarait-il pas : « C'est à Baudelaire que je dois l'éveil du
sentiment poétique et ce qu'il y a chez moi de profond ; à Banville
je dois d'être mélodieux, amusant, jongleur de mots ; à Leconte
de Lisle j'ai emprunté l'honnêteté de la langue et du rythme[21]. »
Il n'est donc pas surprenant que ses contemporains immédiats
soient passés à côté du jeune poète, sans déceler en lui un maître
de la nostalgie musicale, un harpiste du verbe triste, un virtuose
du rêve et du sanglot, enfin un poète relativement populaire. Mais
ce qui surprend dans l'œuvre de Verlaine en général et dans les
Poèmes saturniens en particulier, c'est cette surenchère de banalités, de maladresses, de négligences, d'impropriétés, de chevilles
et de réminiscences que le lecteur exigeant ne manque pas de
déplorer. Chez Verlaine, le remplissage, l'absence de rigueur, les
échos sans échos déprécient trop visiblement le génie et l'unicité
du chant. Car si notre poète écrivait par vocation, il lui arrivait
de rimer par habitude... Dans ses *Poèmes saturniens*, Verlaine a
recensé des états d'âme, des réseaux sonores, des palettes enchâs-
sées dans le souvenir et des gammes olfactives derrière lesquels il
a juxtaposé le paysage de Lécluse, un village des environs de Douai,

16. J.-H. Bornecque, *Almanach du théâtre, de la littérature et des beaux-
arts* ; **17.** J.-H. Bornecque, *op. cit.* ; **18.** J.-H. Bornecque, *op. cit.* Lettre de
Victor Hugo du 22 avril 1867 ; **19.** J.-H. Bornecque, *op. cit.* ; **20.** J.-H. Bornecque, *op. cit.* ; **21.** *L'Eclair* (11 janvier 1896), cité par Henri Mondor,
l'Amitié de Verlaine et de Mallarmé et par J.-H. Bornecque, *op. cit.*

et, en exergue sur la brume, le portrait de sa cousine Elisa Moncomble.

LES SAGES D'AUTREFOIS...

À Eugène Carrière[22].

Les Sages d'autrefois, qui valaient bien ceux-ci,
Crurent, et c'est un point encor mal éclairci,
Lire au ciel les bonheurs ainsi que les désastres,
Et que chaque âme était liée à l'un des astres,
5 (On a beaucoup raillé, sans penser que souvent
Le rire est ridicule autant que décevant[23],
Cette explication du mystère nocturne.)
Or ceux-là qui sont nés sous le signe SATURNE,
Fauve planète, chère aux nécromanciens[24],
10 Ont entre tous, d'après les grimoires anciens,
Bonne part de malheur et bonne part de bile.
L'Imagination, inquiète et débile,
Vient rendre nul en eux l'effort de la Raison.
Dans leurs veines le sang, subtil comme un poison,
15 Brûlant comme une lave[25], et rare, coule et roule
En grésillant leur triste Idéal qui s'écroule.
Tels les Saturniens[26] doivent souffrir et tels
Mourir, — en admettant que nous soyons mortels —,
Leur plan de vie étant dessiné ligne à ligne
20 Par la logique d'une Influence maligne. **(1)**

P. V.

---

22. *E. Carrière* : peintre et lithographe français (1849-1906). Un portrait de Verlaine d'après une lithographie d'Eugène Carrière sert de frontispice à l'édition du *Choix de poésies* (1891) ; **23.** *Décevant* : dans le sens de « trompeur » ; **24.** De *nécromancie*, art d'évoquer les morts pour deviner l'avenir ou les choses tenues secrètes ; **25.** Semble inspiré de Baudelaire, « Delphine et Hippolyte » (*les Fleurs du Mal*), vers 77, « Brûlant comme un volcan [...] » ; **26.** « Verlaine était hanté par l'idée que la planète Saturne le tenait tout entier sous sa mystérieuse influence ; nul sans doute ne le lui avait appris, nul astrologue n'avait dressé son horoscope ; un sûr instinct le lui disait, et c'était vrai [...] Verlaine était bien saturnien. Mais le plus important, c'est qu'il ait su, qu'il ait senti peser sur ses épaules la main de plomb de la *fauve planète* chère aux nécromanciens. » ; *in* Dom Néroman, *Verlaine aux mains des dieux* (Paris, Ed. J. Renard, 1944), page 262 ; cité par Jacques Robichez (Ed. Garnier, page 490).

QUESTIONS

1. Etudiez le thème de la prédestination.
— Ce poème *avertissement* nous renseigne-t-il sur les convictions morales de Verlaine ?
— Décelez les influences : *a)* la thématique de l'inspiration ; *b)* la sonorité de certains vers.

MELANCHOLIA

À Ernest Boutier[27].

RÉSIGNATION

Tout enfant, j'allais rêvant Ko-Hinnor[28],
Somptuosité persane et papale
Héliogabale[29] et Sardanapale[30] !

Mon désir créait sous des toits en or,
5   Parmi les parfums, au son des musiques,
Des harems sans fin, paradis physiques !

Aujourd'hui, plus calme et non moins ardent,
Mais sachant la vie et qu'il faut qu'on plie,
J'ai dû refréner ma belle folie,
10   Sans me résigner par trop cependant.

Soit ! le grandiose échappe à ma dent,
Mais, fi de l'aimable et fi de la lie !
Et je hais toujours la femme jolie,
La rime assonante et l'ami prudent. (2)

---

27. *E. Boutier :* violoniste et critique d'art qui présenta Verlaine à l'éditeur Lemerre ; 28. Plus exactement *Koh-i-Nor*, nom persan qui signifie « Montagne de lumière ». Il désigne le second diamant du monde quant au poids : 280 carats (le premier titre : 360 carats). Découvert en 1550, à Golconde (Indes), il fut taillé maladroitement par un joaillier vénitien. Après avoir appartenu à divers princes indiens et persans, dont le Grand Mogol, il passa aux mains de la Compagnie des Indes, vers 1840, qui l'offrit à la Couronne d'Angleterre, dont il est encore le joyau ; 29. Empereur romain, né vers l'an 204 apr. J.-C., mort assassiné en 222, au terme de quatre années d'un règne délirant et prodigieux de raffinements, de débauches et de cruautés. Fils présumé de Caracalla, il fut, jusqu'à l'âge de quatorze ans, prêtre du Soleil en Syrie. Il introduisit ce culte à Rome et, avec lui, des frénésies érotico-mystiques qui passaient les licences coutumières de la pourpre romaine, pourtant brodée d'outrances et de scandales retentissants ; 30. *Sardanapale :* roi d'Assyrie mort en 817 av. J.-C., au terme de vingt années de règne. Il menait une vie voluptueuse, efféminée, au fond de ses palais de Ninive. Ses satrapes de Perse, de Médie et de Babylonie complotèrent de le renverser, et lancèrent vers Ninive une armée de 400 000 hommes. Sardanapale sortit de son palais et battit à trois reprises les révoltés ; mais il finit finalement assiégé dans sa capitale, où il résista pendant deux ans. Lorsqu'il se vit perdu, il fit de tous ses trésors un immense bûcher et s'y fit brûler. Ce courage philosophique fit dire de Sardanapale qu'il « vécut en femme et sut mourir en homme ». Après lui, l'Empire assyrien fut démembré.

■ QUESTIONS ■

2. La musique du premier tercet.
— En quoi ce poème est-il une confession ?

NEVERMORE[31]

Souvenir, souvenir, que me veux-tu? L'automne
Faisait voler la grive à travers l'air atone,
Et le soleil dardait un rayon monotone
Sur le bois jaunissant où la bise détone[32].

5 Nous étions seul à seule et marchions en rêvant,
Elle et moi, les cheveux et la pensée au vent.
Soudain, tournant vers moi son regard émouvant :
« Quel fut ton plus beau jour? » fit sa voix d'or vivant[33],

Sa voix douce et sonore, au frais timbre angélique.
10 Un sourire discret lui donna la réplique,
Et je baisai sa main blanche, dévotement.

— Ah! les premières fleurs, qu'elles sont parfumées!
Et qu'il bruit avec un murmure charmant
Le premier *oui*[34] qui sort de lèvres bien-aimées!

APRÈS TROIS ANS

Ayant poussé la porte étroite qui chancelle,
Je me suis promené dans le petit jardin
Qu'éclairait doucement le soleil du matin,
Pailletant chaque fleur d'une humide étincelle.

5 Rien n'a changé. J'ai tout revu : l'humble tonnelle
De vigne folle avec les chaises de rotin...
Le jet d'eau fait toujours son murmure argentin
Et le vieux tremble sa plainte sempiternelle.

Les roses comme avant palpitent; comme avant
10 Les grands lys orgueilleux se balancent au vent,
Chaque alouette qui va et vient m'est connue.

---

31. *Nevermore* : mot anglais qui, signifiant « jamais plus », sert de refrain au célèbre poème d'Edgar Poe, « le Corbeau », que Baudelaire avait traduit dès 1853 ; **32.** *Détoner* : faire un bruit explosif. La suppression du second *n* (= *détonne*) peut être due soit à une faute d'orthographe, soit au souci de ne pas altérer la rime visuelle avec *atone* et *monotone*; **33.** J.-H. Bornecque signale que « l'image de l'or revient seize fois dans les *Poèmes saturniens* » (*op. cit.*, page 202); **34.** Ce premier et unique *oui* justifierait le titre du poème, lequel est vraisemblablement autobiographique et semble désigner Elisa Dujardin au début de son mariage.

Même, j'ai retrouvé debout la Velléda
Dont le plâtre s'écaille au bout de l'avenue,
Grêle, parmi l'odeur fade du réséda.

Vœu

Ah! les oaristys[35]! les premières maîtresses!
L'or des cheveux, l'azur des yeux, la fleur des chairs,
Et puis, parmi l'odeur des corps jeunes et chers[36],
La spontanéité craintive des caresses!

5   Sont-elles assez loin, toutes ces allégresses
Et toutes ces candeurs! Hélas! toutes devers[37]
Le printemps des regrets ont fui les noirs hivers
De mes ennuis, de mes dégoûts, de mes détresses!

Si que[38] me voilà seul à présent, morne et seul,
10   Morne et désespéré, plus glacé qu'un aïeul,
Et tel qu'un orphelin pauvre sans sœur aînée[39].

Ô la femme à l'amour câlin et réchauffant,
Douce, pensive et brune, et jamais étonnée,
Et qui parfois vous baise au front, comme un enfant!

MON RÊVE FAMILIER[40]

Je fais souvent ce rêve étrange et pénétrant
D'une femme inconnue, et que j'aime, et qui m'aime,
Et qui n'est, chaque fois, ni tout à fait la même
Ni tout à fait une autre, et m'aime et me comprend.

5   Car elle me comprend, et mon cœur, transparent
Pour elle seule, hélas! cesse d'être un problème
Pour elle seule, et les moiteurs de mon front blême,
Elle seule les sait rafraîchir, en pleurant.

---

35. *Oaristys* : mot grec signifiant « commerce intime », « conversation intime » (de *oar*, « épouse »). Par ce mot, vraisemblablement emprunté à Chénier, Verlaine fait allusion à ses premières expériences, à ses premiers entretiens galants ; **36.** Dans l'édition de 1891 : « jeunes et claires » ; **37.** Archaïsme pour *derrière soi*; **38.** Forme médiévale pour *si bien que* ; **39.** Vers prémonitoire qui évoque, avant l'heure, le souvenir d'Elisa, sa cousine ; **40.** Publié dans *le Parnasse contemporain*, en 1866. Ce poème, aujourd'hui très célèbre, dégage un charme incantatoire puissant. J.-H. Bornecque (*op. cit.*, page 207) observe que ce charme découle de l'ambiguïté du mot *rêve*, sur laquelle joue le poète.

Est-elle brune, blonde ou rousse? — Je l'ignore.
Son nom? Je me souviens qu'il est doux et sonore
Comme ceux des aimés que la Vie exila.

Son regard est pareil au regard des statues,
Et, pour sa voix, lointaine, et calme, et grave, elle a[41]
L'inflexion des voix chères qui se sont tues. **(3)**

EAUX-FORTES

À François Coppée[42].

Croquis parisien

La lune plaquait ses teintes de zinc
        Par angles obtus.
Des bouts de fumée en forme de cinq[43]
Sortaient drus et noirs des hauts toits pointus.

Le ciel était gris. La bise pleurait[44]
        Ainsi qu'un basson.
Au loin, un matou frileux et discret
Miaulait d'étrange et grêle façon.

Moi, j'allais, rêvant du divin Platon
        Et de Phidias,
Et de Salamine et de Marathon,
Sous l'œil clignotant des bleus becs de gaz[45].

---

41. Notez la désarticulation du vers qui s'achève à la rime sur un verbe fléchi d'une seule lettre; 42. Une profonde amitié liait les deux poètes; 43. Appréciez la modernité de cette image, que l'on ne s'étonnerait point de rencontrer chez des poètes comme Jacques Prévert ou Jean l'Anselme; 44. Stéréotype hérité des romantiques les plus falots et repris maintes fois, sous la bannière d'un certain classicisme, par des versificateurs au petit pied; 45. Notez la désacralisation de la Grèce classique telle que le XIXᵉ siècle raisonneur et archéologue se la représentait. Le *bec de gaz* du dernier quatrain crée un choc antinomique et laisse dans l'ombre les grands symboles helléniques.

QUESTIONS

3. Le pouvoir incantatoire de ce poème.
— En quoi ce *rêve* est-il *étrange et pénétrant?*
— La transparence, l'exil et le silence donnent-ils à l'idée de rêve un prolongement dans un *ailleurs* qui traduit peut-être pour Verlaine l'aboutissement du rêve?

EFFET DE NUIT[46]

La nuit. La pluie. Un ciel blafard que déchiquette
De flèches et de tours à jour la silhouette
D'une ville gothique éteinte au lointain gris.
La plaine. Un gibet plein de pendus rabougris
5 Secoués par le bec avide des corneilles
Et dansant dans l'air noir des gigues nonpareilles,
Tandis que leurs pieds sont la pâture des loups.
Quelques buissons d'épine épars, et quelques houx
Dressant l'horreur de leur feuillage à droite, à gauche,
10 Sur le fuligineux fouillis d'un fond d'ébauche.
Et puis, autour de trois livides prisonniers
Qui vont pieds nus, un gros[47] de hauts pertuisaniers[48]
En marche, et leurs fers droits, comme des fers de herse,
Luisent à contresens des lances de l'averse.

PAYSAGES TRISTES

SOLEILS COUCHANTS

Une aube affaiblie
Verse par les champs
La mélancolie
Ses soleils couchants.
5 La mélancolie
Berce de doux chants
Mon cœur qui s'oublie
Aux soleils couchants.
Et d'étranges rêves,
10 Comme des soleils
Couchants sur les grèves,
Fantômes vermeils,
Défilent sans trêves,
Défilent, pareils
15 A des grands soleils
Couchants sur les grèves.

---

46. Titre emprunté au vocabulaire des rapins. Ici, Verlaine rivalise de finesse descriptive avec les aquafortistes. Par une suite de traits fins et nets, il rappelle les *Fantaisies à la manière de Rembrandt et de Callot* d'Aloÿsius Bertrand, poète qu'il admirait beaucoup ; **47.** *Un gros :* une certaine quantité, une troupe ; **48.** *Pertuisanier :* soldat armé d'une pertuisane, sorte de halle-barde à fer long, large et tranchant.

Nuit du Walpurgis classique[49]

C'est plutôt le sabbat du second Faust que l'autre,
Un rhythmique sabbat[50], rhythmique, extrêmement
Rhythmique. — Imaginez un jardin de Lenôtre[51],
    Correct, ridicule et charmant.

5 Des ronds-points ; au milieu, des jets d'eau ; des allées
Toutes droites ; sylvains de marbre[52] ; dieux marins
De bronze ; çà et là, des Vénus étalées ;
    Des quinconces, des boulingrins[53] ;

Des châtaigniers ; des plants de fleurs formant la dune[54] ;
10 Ici, des rosiers nains qu'un goût docte effila ;
Plus loin, des ifs taillés en triangles. La lune
    D'un soir d'été sur tout cela.

Minuit sonne, et réveille au fond du parc aulique
Un air mélancolique, un sourd, lent et doux air
15 De chasse : tel, doux, lent, sourd et mélancolique,
    L'air de chasse de *Tannhäuser*[55].

Des chants voilés de cors lointains, où la tendresse
Des sens étreint l'effroi de l'âme en des accords
Harmonieusement dissonants dans l'ivresse ;
20   Et voici qu'à l'appel des cors

S'entrelacent soudain des formes toutes blanches,
Diaphanes, et que le clair de lune fait

---

49. Publié dans *la Revue du XIXe siècle* (1er août 1866), sous le titre *Walpurgis classique*. Walpurgis est le nom d'une sainte, enterrée en Allemagne, qui vivait dans ce pays au VIIIe siècle. A partir du XIe siècle, le culte de cette sainte se développa dans les populations d'Allemagne et de Hollande. La fête votive en fut fixée au 1er mai, ce qui entraîna une confusion dans les manifestations de la piété populaire, car, très antiquement, le 1er mai marque le passage de l'hiver au printemps et est une survivance des fêtes païennes. Si bien qu'au Moyen Age, notamment en Allemagne, la nuit du 30 avril au 1er mai était consacrée à la chasse aux sorcières et aux démons, qui se donnaient rendez-vous à cette date. La vénérable sainte dut assumer le renom du sabbat. Le *Faust* de Goethe perpétue le souvenir de cette bruyante et obscure coutume germanique ; mais Verlaine, bien qu'il connût ce drame classique, paraît se référer plutôt à *Nocturne* d'Albert Glatigny, où figure l'expression « le Walpurgis français » ; **50.** Allusion à l'assemblée nocturne des sorciers ; **51.** *Lenôtre* : architecte et dessinateur de jardins (1613-1700) ; **52.** *Sylvains de marbre* : petites divinités des forêts, que l'on figurait par des statues à la lisière des salles de verdure ; **53.** *Boulingrins* : parterres de gazon disposés symétriquement dans les jardins « à la française » ; **54.** Impropriété ; **55.** *Tannhaüser* : drame musical de Wagner (1845).

Opalines parmi l'ombre verte des branches,
    — Un Watteau rêvé par Raffet[56]! —

25 S'entrelacent parmi l'ombre verte des arbres
D'un geste alangui, plein d'un désespoir profond;
Puis, autour des massifs, des bronzes et des marbres,
    Très lentement dansent en rond.

  — Ces spectres agités, sont-ce donc la pensée
30 Du poète ivre, ou son regret ou son remords,
Ces spectres agités en tourbe[57] cadencée,
    Ou bien tout simplement des morts?

Sont-ce donc ton remords, ô rêvasseur qu'invite
L'horreur, ou ton regret, ou ta pensée, — hein? — tous
35 Ces spectres qu'un vertige irrésistible agite,
    Ou bien des morts qui seraient fous? —

N'importe! ils vont toujours, les fébriles fantômes,
Menant leur ronde vaste et morne et tressautant
Comme dans un rayon de soleil des atomes,
40   Et s'évaporant à l'instant

Humide et blême où l'aube éteint l'un après l'autre
Les cors, en sorte qu'il ne reste absolument
Plus rien — absolument — qu'un jardin de Lenôtre,
    Correct, ridicule et charmant.

CHANSON D'AUTOMNE[58]

    Les sanglots longs
    Des violons
      De l'automne
    Blessent mon cœur
5   D'une langueur
      Monotone.

    Tout suffocant[59]
    Et blême, quand
      Sonne l'heure,

---

    56. *Raffet* : peintre et dessinateur français (1804-1860); **57.** Dans le sens de « troupe »; **58.** Titre emprunté à Baudelaire : « Chant d'automne »; **59.** Lire « tout suffoquant ».

10   Je me souviens
    Des jours anciens
      Et je pleure;

    Et je m'en vais
    Au vent mauvais
15   Qui m'emporte
    Deçà, delà,
    Pareil à la
      Feuille morte. **(4)**

CAPRICES

À Henry Winter[60].

FEMME ET CHATTE

  Elle jouait avec sa chatte,
  Et c'était merveille de voir
  La main blanche et la blanche patte
  S'ébattre dans l'ombre du soir.

5 Elle cachait — la scélérate! —
  Sous ses mitaines de fil noir
  Ses meurtriers ongles d'agate,
  Coupants et clairs comme un rasoir.

  L'autre aussi faisait la sucrée
10 Et rentrait sa griffe acérée,
  Mais le diable n'y perdait rien...

  Et dans le boudoir où, sonore,
  Tintait son rire aérien,
  Brillaient quatre points de phosphore. **(5)**

---

60. Poète peu connu qui figure dans le premier Parnasse contemporain.

— **QUESTIONS** —————————————

4. Comment expliquez-vous le grand succès que connut ce poème?
— Vers 11. Que comprenez-vous par *jours anciens?*
— Le poète se compare à une *feuille morte;* analysez la symbolique de cette comparaison.
— Relevez les particularités du rythme et de la rime.

5. Le thème du chat dans la littérature française du XIX⁰ siècle.
— Vers 9. Que signifie l'expression *faire la sucrée?*

MONSIEUR PRUDHOMME[61]

Il est grave : il est maire et père de famille.
Son faux col engloutit son oreille. Ses yeux
Dans un rêve sans fin flottent, insoucieux,
Et le printemps en fleur sur ses pantoufles brille.

5 Que lui fait l'astre d'or, que lui fait la charmille
Où l'oiseau chante à l'ombre, et que lui font les cieux,
Et les prés verts et les gazons silencieux ?
Monsieur Prudhomme songe à marier sa fille

Avec monsieur Machin, un jeune homme cossu.
10 Il est juste-milieu, botaniste et pansu.
Quant aux faiseurs de vers, ces vauriens, ces maroufles,

Ces fainéants barbus, mal peignés, il les a
Plus en horreur que son éternel coryza,
Et le printemps en fleur[62] brille sur ses pantoufles.

ÇAVITRÎ[63]

MAHABHARATTA.

Pour sauver son époux, Çavitrî fit le vœu
De se tenir trois jours entiers, trois nuits entières,
Debout, sans remuer jambes, buste ou paupières :
Rigide, ainsi que dit Vyaça, comme un pieu.

5 Ni Çurya[64], tes rais cruels, ni la langueur
Que Tchandra[65] vient épandre à minuit sur les cimes
Ne firent défaillir, dans leurs efforts sublimes,
La pensée et la chair de la femme au grand cœur.

---

61. Publié en 1863 dans la *Revue du Progrès* et signé *Pablo*, sous le titre de *Satirette*. C'est en effet une satire contre le type d'homme bourgeois, rassis et étriqué, auquel Henri Monnier avait donné ce nom, dans *Mémoires de Joseph Prudhomme* (1857) ; 62. Les éditions contemporaines du poète portent toutes le pluriel : « printemps en fleurs » ; d'autres, plus récentes, optent pour le singulier. Les deux formes sont correctes ; 63. Personnage de l'épopée hindoue, le *Mahâ Bhârata*, dont l'auteur présumé est Vyaça (1er s. av. J.-C.). On pense que Verlaine ne dut lire qu'une partie de cet immense poème épique, dans l'une des deux ou trois traductions qui existaient de son temps (1866). L'épisode qu'il évoque ici se termine dans l'ouvrage hindou, logiquement, par le salut désiré. Verlaine n'en a retenu que le symbole de l'équanimité dans l'adversité ; 64. *Çurya* : nom mythologique du Soleil ; 65. *Tchandra* : nom mythologique de la Lune.

    — Que nous cerne l'Oubli, noir et morne assassin,
10   Ou que l'Envie aux traits amers nous ait pour cibles,
    Ainsi que Çavitrî faisons-nous impassibles,
    Mais, comme elle, dans l'âme ayons un haut dessein.

UN DAHLIA[66]

    Courtisane au sein dur, à l'œil opaque et brun
    S'ouvrant avec lenteur comme celui d'un bœuf,
    Ton grand torse reluit ainsi qu'un marbre neuf.

    Fleur grasse et riche, autour de toi ne flotte aucun
5   Arôme, et la beauté sereine de ton corps
    Déroule, mate, ses impeccables accords.

    Tu ne sens même pas la chair, ce goût qu'au moins
    Exhalent celles-là qui vont fanant les foins,
    Et tu trônes, Idole insensible à l'encens.

10   — Ainsi le Dahlia, roi vêtu de splendeur,
    Elève sans orgueil sa tête sans odeur,
    Irritant au milieu des jasmins agaçants !

---

66. Ce sujet, le reproche à la courtisane de sa froideur inodore, était prisé des écrivains et des poètes post-romantiques, qui glosèrent tant sur les « filles de marbre ». Ici, nous relevons une influence diffuse de Baudelaire et de Glatigny ; ce dernier avait déjà apparenté une Julia à un camélia.

FÊTES GALANTES

Ce titre recèle toute la charge de mouvance dans la légèreté, de libertinage dans le jeu, de marivaudage et d'élégance que détient l'œuvre. Une fois de plus, le jeune Verlaine nous surprend : « Comment n'être pas déconcerté, déclare Guy Michaud, quand on voit ce jeune homme, poète instable et sans personnalité apparente, sensuel, ivrogne et débauché, écrire et publier alors *Fêtes galantes*? Est-ce un nouveau masque sur son visage? Est-ce un pastiche de plus[67]? » Mais Verlaine n'est-il pas, plus qu'un autre poète, un apôtre de la contradiction? Pour Jacques Robichez, les *Fêtes galantes* « sont une compensation littéraire, l'asile où se réfugie l'anxiété de Verlaine, un rêve de délicatesse, d'élégance et de fraîcheur, avec la plupart du temps la complicité d'un décor nocturne[68] ». En effet, pour oublier l'angoisse qui vient le piéger jusque dans le verbe, le poète préfère se mêler à la fête où

> Les donneurs de sérénades
> Et les belles écouteuses
> Échangent des propos fades
> Sous les ramures chanteuses.

Mandoline.

Au vrai, en dépit de la *Pantomime,* des arlequinades et du monde des attitudes, le drame s'épaissit dans le cœur du Pauvre Lélian : derrière la fête à claire-voie, nous entendons grincer une plainte mélancolique hachée par des airs de mandoline. Les personnages que l'on croise dans les *Fêtes galantes* nous arrivent directement du XVIIIᵉ siècle. Verlaine les a empruntés à Watteau ou à la *commedia dell'arte*. Il n'y a rien de surprenant dans ce choix : nous savons que le XVIIIᵉ siècle était alors très à la mode et nous nous souviendrons de la *Fête chez Thérèse*, où Hugo ressuscite Pulcinella, Arlequin et Scaramouche. Glatigny, Banville et Gautier avaient aussi, et bien avant Verlaine, évoqué les personnages des *Fêtes galantes*. L'important se situe ailleurs. Jules Laforgue, après Verlaine, a bien invité Pierrot dans ses *Complaintes*, mais comme l'affirme très justement Jacques Borel : « Le Pierrot de Laforgue n'est pas plus celui de Verlaine que celui de Verlaine n'est aucun de ceux qui l'ont précédé[69]. » Avec les *Fêtes galantes,* nous participons à un jeu triste, à une douloureuse mascarade. Pourtant, tout se passe comme s'il s'agissait bien d'une fête galante : virtuosité, légèreté, mobilité.

---

67. *Message poétique du symbolisme :* « Verlaine, le poète saturnien »; **68.** *Œuvres poétiques, Verlaine,* page 75; **69.** *Œuvres poétiques complètes,* page 104.

CLAIR DE LUNE[70]

Votre âme est un paysage choisi
Que vont charmant masques et bergamasques[71],
Jouant du luth, et dansant, et quasi
Tristes sous leurs déguisements fantasques.

5   Tout en chantant sur le mode mineur[72]
L'amour vainqueur et la vie opportune,
Ils n'ont pas l'air de croire à leur bonheur
Et leur chanson se mêle au clair de lune.

Au calme clair de lune triste et beau[73],
10 Qui fait rêver les oiseaux dans les arbres
Et sangloter d'extase les jets d'eau,
Les grands jets d'eau sveltes parmi les marbres.

SUR L'HERBE[74]

— L'abbé divague. — Et toi, marquis,
Tu mets de travers ta perruque.
— Ce vieux vin de Chypre est exquis
Moins, Camargo[75], que votre nuque.

5   — Ma flamme... — Do, mi, sol, la, si.
L'abbé, ta noirceur se dévoile !
— Que je meure, mesdames, si
Je ne vous décroche une étoile !

— Je voudrais être petit chien[76] !
10 — Embrassons nos bergères, l'une

---

70. Paru dans la *Gazette rimée* en 1867. Ce poème fut mis en musique par Gabriel Fauré et par Debussy ; **71.** *Bergamasque :* habitant de la ville de Bergame, dans la vallée du Pô ; et aussi danse coutumière à ces gens. Observez l'ambiguïté que renforce encore l'emploi du participe présent dans *Que vont charmant,* tournure archaïque qui implique l'idée d'une action continue ; **72.** Mode musical ordinairement employé pour les évocations empreintes de tristesse ; **73.** Le texte de la *Gazette rimée* donne ce vers ainsi : « Au calme clair de lune de Watteau ». Verlaine le modifia en conséquence lorsque Anatole France lui eut révélé que Watteau ne peignit aucun clair de lune ; **74.** C'est un fragment de conversation imaginaire mis en vers dans le goût délicat et libertin des saynètes bucoliques du XVIIIᵉ siècle ; **75.** Nom de belle usité chez les romanciers de la galanterie au XVIIIᵉ siècle, et aussi chez Musset, *les Marrons du feu. Camargo* est la forme provençale de *Camargue.* Une célèbre danseuse franco-belge porta ce nom (1710-1770) ; **76.** Ce vers rappelle le « Sonnet à sir Bob », dans lequel Tristan Corbière (*les Amours jaunes,* 1875) dit qu'il voudrait être le chien de sa maîtresse.

Après l'autre. — Messieurs, eh bien ?
— Do, mi, sol[77]. — Hé ! bonsoir la Lune ! **(6)**

L'ALLÉE

Fardée et peinte comme au temps des bergeries,
Frêle parmi les nœuds énormes de rubans,
Elle passe sous les ramures assombries,
Dans l'allée où verdit la mousse des vieux bancs,
5 Avec mille façons et mille afféteries[78]
Qu'on garde d'ordinaire aux perruches chéries.
Sa longue robe à queue est bleue, et l'éventail
Qu'elle froisse en ses doigts fluets aux larges bagues
S'égaie un des sujets érotiques, si vagues
10 Qu'elle sourit, tout en rêvant, a maint détail.
    — Blonde, en somme. Le nez mignon avec la bouche
Incarnadine[79], grasse, et divine d'orgueil
Inconscient. — D'ailleurs plus fine que la mouche
Qui ravive l'éclat un peu niais de l'œil. **(7)**

LES INGÉNUS[80]

Les hauts talons luttaient avec les longues jupes,
En sorte que, selon le terrain et le vent,
Parfois luisaient des bas de jambes, trop souvent
Interceptés ! — et nous aimions ce jeu de dupes.

5 Parfois aussi le dard d'un insecte jaloux[81]
Inquiétait le col des belles sous les branches,
Et c'était des éclairs soudains de nuques blanches,
Et ce régal comblait nos jeunes yeux de fous.

---

77. L'insertion de notes de musique dans un poème n'est pas une invention de Verlaine, mais un usage hérité des poètes baroques du XVIIᵉ siècle ; 78. *Afféterie* : manières recherchées, étudiées ; 79. *Incarnadin :* d'une couleur plus faible que l'*incarnat* (rouge chair) ; 80. Il s'agit des galants inexpérimentés qui viennent à se frotter aux « belles » plus affranchies. Le poète montre le trouble et l'effarement des « ingénus » dans ce genre de rencontre ; 81. Jaloux au sens de « attaché à, soucieux de quelque chose d'abstrait... », comme dans l'expression « jaloux de son honneur, de ses prérogatives, etc. ».

--- **QUESTIONS** ---

Questions 6 et 7, v. p. 35.

Le soir tombait, un soir équivoque d'automne :
Les belles, se pendant rêveuses à nos bras,
Dirent alors des mots si spécieux[82], tout bas,
Que notre âme, depuis ce temps, tremble et s'étonne.

FANTOCHES[83]

Scaramouche et Pulcinella
Qu'un mauvais dessein rassembla
Gesticulent, noirs sur la lune.

Cependant l'excellent docteur
Bolonais cueille avec lenteur
Des simples parmi l'herbe brune.

Lors sa fille, piquant minois,
Sous la charmille, en tapinois,
Se glisse demi-nue, en quête

De son beau pirate espagnol,
Dont un langoureux rossignol
Clame la détresse à tue-tête. **(8)**

MANDOLINE

Les donneurs de sérénades
Et les belles écouteuses

---

82. *Spécieux* : prometteurs ; **83.** Fantaisie sur deux personnages de la commedia dell'arte : Scaramouche, Rodomont braillard vêtu de noir, et Pulcinella, moitié contrefait. A plusieurs reprises, Verlaine s'est attardé aux personnages du théâtre populaire italien.

QUESTIONS

6. L'identification au chien : comparez avec le « Sonnet à sir Bob » de Tristan Corbière (cf. « Nouveaux Classiques Larousse », page 29).

— Etudiez le thème du chien dans la poésie française (consultez si possible le n° 18 du *Pont de l'Epée*, Ed. Guy Chambelland : « le Chien »).

— Que comprenez-vous par ce *bonsoir la Lune ?*

7. Quelle œuvre picturale choisiriez-vous pour illustrer ce poème ?

8. Appréciez le rythme et la rime.

— Etudiez le lexique.

— Que pensez-vous de l'intervention de Scaramouche et de Pulcinella ?

Échangent des propos fades
Sous les ramures chanteuses.

5 C'est Tircis et c'est Aminte,
Et c'est l'éternel Clitandre,
Et c'est Damis qui pour mainte
Cruelle fait maint vers tendre.

Leurs courtes vestes de soie,
10 Leurs longues robes à queues,
Leur élégance, leur joie
Et leurs molles ombres bleues

Tourbillonnent dans l'extase
D'une lune rose et grise,
15 Et la mandoline jase
Parmi les frissons de brise.

A CLYMÈNE[84]

Mystiques barcarolles[85],
Romances sans paroles[86],
Chère, puisque tes yeux,
Couleur des cieux,

5 Puisque ta voix, étrange
Vision qui dérange
Et trouble l'horizon
De ma raison,

Puisque l'arome insigne
10 De ta pâleur de cygne
Et puisque la candeur
De ton odeur,

---

84. Ce poème fut mis en musique par Gabriel Fauré. L'auteur avait prévu d'autres titres à cette pièce : « Chanson d'amour », puis « Galimathias double » ; ce dernier titre, bien que non retenu, traduit un retour critique du poète jugeant du peu de valeur des *correspondances* (vers 18) dont son *cœur subtil* est induit. *Clymène* est un nom mythologique grec du genre de ceux qu'affectionnaient les poètes de la Renaissance ; **85.** *Barcarolle* : chanson des gondoliers vénitiens. Il est visible que Verlaine ne retient ici que la sonorité du mot, car une *barcarolle mystique* ne peut se concevoir, même chez le Vénitien le plus confit en religion ! (voir note 87) ; **86.** Ce vers est à lui seul le titre d'un recueil que Verlaine publiera en 1874.

Ah! puisque tout ton être,
Musique qui pénètre,
15   Nimbes d'anges défunts,
Tons et parfums,

A, sur d'almes[87] cadences
En ses correspondances
Induit mon cœur subtil,
20   Ainsi soit-il[88] !

LES INDOLENTS

— Bah! malgré les destins jaloux,
Mourons ensemble, voulez-vous?
— La proposition est rare.

— Le rare est le bon. Donc mourons
5   Comme dans les Décamérons[89].
— Hi! hi! hi! quel amant bizarre!

— Bizarre, je ne sais. Amant
Irréprochable, assurément.
Si vous voulez, mourons ensemble?

10   — Monsieur, vous raillez mieux encor
Que vous n'aimez, et parlez d'or;
Mais taisons-nous, si bon vous semble! —

Si bien que ce soir-là Tircis
Et Dorimène, à deux assis
15   Non loin de deux sylvains[90] hilares,

---

87. *D'almes cadences* : des cadences nourricières. L'adjectif *alme*, fort
employé au Moyen Age et par Rabelais, était tombé en désuétude, lorsque
P. J. Proudhon le rajeunit pour un temps. Il est probable que le mot apparaît
ici « par méprise », vu sa disparité sémantique au regard de ce qu'il qualifie
(des cadences!), ou peut-être le poète ne le choisit-il que pour son étrangeté ;
88. J. Robichez (*Verlaine*, Garnier, page 565) remarque que le poème s'ouvre
et se termine sur deux termes religieux (*Mystiques* et *Ainsi soit-il*), formule et
vocabulaire pour lesquels les symbolistes des années 1890 s'engouront ;
89. *Décaméron* : célèbre recueil de cent contes publiés par Boccace en 1352.
Ces contes libertins sont d'une facture très originale qui fut souvent imitée
avant et pendant la Renaissance. Verlaine les cite avec la marque du pluriel,
ce qui n'est pas dans l'usage, *décaméron* étant un mot grec composite qui
signifie « un espace de dix jours » (les dix jours pendant lesquels les cent nouvelles du recueil sont censées avoir été narrées) ; 90. Divinités des bois, dans
la mythologie romaine.

Eurent l'inexpiable tort
D'ajourner une exquise[91] mort.
Hi! hi! hi! les amants bizarres!

COLOMBINE[92]

Léandre le sot,
Pierrot qui d'un saut
    De puce
Franchit le buisson,
Cassandre sous son
    Capuce[93],

Arlequin aussi,
Cet aigrefin si
    Fantasque
Aux costumes fous,
Ses yeux luisants sous
    Son masque,

— Do, mi, sol, mi, fa, —
Tout ce monde va,
    Rit, chante
Et danse devant
Une belle enfant
    Méchante

Dont les yeux pervers
Comme les yeux verts
    Des chattes
Gardent ses appas
Et disent : « A bas
    Les pattes! »

— Eux ils vont toujours! —
Fatidique cours
    Des astres,

---

91. L'adjectif *exquise* dissipe l'ambiguïté qu'introduisaient le titre et le vers 2 ; tout se termine sur un sourire charmant et légèrement ironique ; **92.** Autre thème émaillé de personnages de la comédie italienne. C'est un drame assez mince, finement misogyne. Notez la virtuosité du rythme et des enjambements ; **93.** Capuche portée par les moines « capucins ».

Oh! dis-moi vers quels
Mornes ou cruels
    Désastres

L'implacable enfant,
Preste et relevant
    Ses jupes,
La rose au chapeau,
Conduit son troupeau
    De dupes! **(9)**

COLLOQUE SENTIMENTAL[94]

Dans le vieux parc solitaire et glacé
Deux formes ont tout à l'heure passé.

Leurs yeux sont morts et leurs lèvres sont molles,
Et l'on entend à peine leurs paroles.

Dans le vieux parc solitaire et glacé
Deux spectres ont évoqué le passé.

— Te souvient-il de notre extase ancienne?
— Pourquoi voulez-vous donc qu'il m'en souvienne?

— Ton cœur bat-il toujours à mon seul nom?
Toujours vois-tu mon âme en rêve? — Non.

— Ah! les beaux jours de bonheur indicible
Où nous joignions nos bouches! — C'est possible.

— Qu'il était bleu, le ciel, et grand, l'espoir!
— L'espoir a fui, vaincu, vers le ciel noir.

Tels ils marchaient dans les avoines folles,
Et la nuit seule entendit leurs paroles.

---

94. Poème mis en musique par Debussy. Ce *colloque* secret entre *deux formes* glissant dans un parc dit la nostalgie poignante des amours disparues ou mal partagées.

--- **QUESTIONS** ---

9. Vers 13. Cette série de notes correspond-elle à une modulation psychologique?
— Le thème de Pierrot dans la littérature et dans les arts plastiques.
— L'articulation de ce poème.

LA BONNE CHANSON

Les vingt et une pièces qui composent ce recueil ont été écrites tout spécialement pour Mathilde Mauté de Fleurville, avec laquelle le poète venait de se fiancer. Une jeune fille, âgée de seize ans, bourgeoise, naïve, d'une intelligence moyenne et pas spécialement préoccupée par la poésie, lit avec les yeux de l'amour les poèmes que lui adresse Verlaine, mais elle déclare qu'ils sont « peut-être trop... forts pour elle[95] ». De crainte de ne pas être compris par sa bien-aimée, le poète va donc, histoire de se mettre à la portée de Mathilde, endiguer son style — celui des *Poèmes saturniens* et des *Fêtes galantes*. Malheureusement, il confondra simplification et simplicité, ce qui, sur le plan strictement poétique, placera *la Bonne Chanson* (1870) bien en deçà de ses précédents recueils. Comme le déclare Jacques Robichez : « Il n'a jamais été, on le sait, un rimeur recherché, mais il devient parfois dans *la Bonne Chanson* un rimeur banal. La rime *amour-jour* s'y rencontre jusqu'à trois fois[96]. » Mais soyons indulgents, apprécions plutôt la sincérité du message et souvenons-nous pour qui furent écrits ces vers. Verlaine ne nous invite pas au rêve, il nous raconte l'illusion de son bonheur. Mathilde représente pour lui l'ordre bourgeois, la stabilité, l'intégration sociale. Alors, Verlaine, qui se voit irrésistiblement attiré par l'alcool et l'homosexualité, s'agrippe à l'espoir :

> Oui, je veux marcher droit et calme dans la vie.
>
> Pièce IV.

Il s'imagine une vie conjugale à la mesure de ses illusions :

> Le foyer, la lueur étroite de la lampe ;
> La rêverie avec le doigt contre la tempe
> Et les yeux se perdant parmi les yeux aimés ;
> L'heure du thé fumant et des livres fermés ;
> La douceur de sentir la fin de la soirée [...]
>
> Pièce XIV.

Il voudrait annuler les forces maléfiques qui l'habitent. Malheureusement, il troquera son métier d'homme contre sa destinée de poète : la jeune Mathilde, dans la fraîcheur et l'innocence de ses seize ans, sera incapable de protéger et de secourir avec une certaine autorité Paul Verlaine. Au-delà du prétexte apparent de sa fiancée, *la Bonne Chanson*, dans son unité foncière, n'est qu'une porte provisoire qui s'ouvre sur l'illusoire.

---

95. Jacques Robichez : *Œuvres poétiques* (Garnier), page 107 ; 96. *Op. cit.*

LA LUNE BLANCHE

La lune blanche
Luit dans les bois;
De chaque branche
Part une voix
5 Sous la ramée...

Ô bien-aimée.

L'étang reflète,
Profond miroir,
La silhouette
10 Du saule noir
Où le vent pleure...

Rêvons, c'est l'heure.

Un vaste et tendre
Apaisement
15 Semble descendre
Du firmament
Que l'astre irise...

C'est l'heure exquise.

LE PAYSAGE DANS LE CADRE DES PORTIÈRES

Le paysage dans le cadre des portières[97]
Court furieusement, et des plaines entières
Avec de l'eau, des blés, des arbres et du ciel
Vont s'engouffrant parmi le tourbillon cruel
5 Où tombent les poteaux minces du télégraphe
Dont les fils ont l'allure étrange d'un paraphe.

Une odeur de charbon qui brûle et d'eau qui bout,
Tout le bruit que feraient mille chaînes au bout

---

97. Poème écrit vraisemblablement au retour d'Arras à Paris, en août 1869. On sait que ce fut durant son séjour à Arras qu'il songea à obtenir la main de « la blanche vision qui fait mon cœur joyeux ». Marc Baroli (*le Train dans la littérature française*, page 139, cité par J. Robichez) a remarqué que Verlaine est le premier poète français qui ait su rendre l'impression fugitive d'un paysage vu d'un train.

10 Desquelles hurleraient mille géants qu'on fouette ;
Et tout à coup des cris prolongés de chouette.

— Que me fait tout cela, puisque j'ai dans les yeux
La blanche vision qui fait mon cœur joyeux,
Puisque la douce voix pour moi murmure encore,
Puisque le Nom si beau, si noble et si sonore
15 Se mêle, pur pivot de tout ce tournoiement,
Au rythme du wagon brutal, suavement. **(10)**

J'AI PRESQUE PEUR, EN VÉRITÉ

J'ai presque peur, en vérité,
Tant je sens ma vie enlacée
A la radieuse pensée
Qui m'a pris l'âme l'autre été,

5 Tant votre image, à jamais chère,
Habite en ce cœur tout à vous,
Mon cœur uniquement jaloux
De vous aimer et de vous plaire ;

Et je tremble, pardonnez-moi
10 D'aussi franchement vous le dire,
A penser qu'un mot, un sourire
De vous est désormais ma loi,

Et qu'il vous suffirait d'un geste,
D'une parole ou d'un clin d'œil,
15 Pour mettre tout mon être en deuil
De son illusion céleste.

Mais plutôt je ne veux vous voir,
L'avenir dût-il m'être sombre
Et fécond en peines sans nombre,
20 Qu'à travers un immense espoir,

────── **QUESTIONS** ──────

10. Le thème du chemin de fer chez d'autres poètes contemporains de Verlaine.
— Le réalisme de ce texte.

Plongé dans ce bonheur suprême
De me dire encore et toujours,
En dépit des mornes retours,
Que je vous aime, que je t'aime !

LE BRUIT DES CABARETS, LA FANGE DU TROTTOIR

Le bruit des cabarets, la fange du trottoir,
Les platanes déchus s'effeuillant dans l'air noir,
L'omnibus, ouragan de ferraille et de boues,
Qui grince, mal assis entre ses quatre roues,
5   Et roule ses yeux verts et rouges lentement,
Les ouvriers allant au club, tout en fumant
Leur brûle-gueule au nez des agents de police,
Toits qui dégouttent, murs suintants, pavé qui glisse,
Bitume défoncé, ruisseaux comblant l'égout,
10   Voilà ma route — avec le paradis au bout. **(11)**

—————— **QUESTIONS** ——————

11. Appréciez l'humour des vers 6 et 7.
— Verlaine a-t-il voulu décrire la hideur du monde qui l'entourait ?
En quoi se révèle-t-il, dans ce texte, poète de la sensibilité citadine ?

Phot. Giraudon.

VERLAINE

Détail du *Coin de table* de Fantin-Latour.
Paris, musée du Louvre.

ROMANCES SANS PAROLES

ARIETTES OUBLIÉES

PAYSAGES BELGES

AQUARELLES

Depuis *la Bonne Chanson,* il y eut le mariage, la guerre, la Commune, Rimbaud, la maladie et, pour ne pas dire le vagabondage et l'exil, les voyages. Ce Verlaine de l'aventure, tiraillé entre sa femme et l'adolescent de Charleville, allait se révéler également en poésie un être de rupture. Comme l'affirme Jacques Borel : « Le passage de Rimbaud fulgure en traits de feu dans la vie et dans l'œuvre de Verlaine. Par ce feu solaire, illuminant, corrosif, Verlaine est un instant arraché à lui-même, écorché, mis à nu, et, en même temps, confronté violemment à sa face la plus profonde[98]. » Rompant avec la poésie de boudoir des parnassiens par trop académiques, Verlaine accomplit une révolution qui, sans avoir l'envergure de celle de Rimbaud, de Lautréamont, de Corbière ou de Laforgue, préfigura celle d'Apollinaire. Le poète s'applique à mettre en relief sur du cristal des impressions ; il fonde sa quête impressionniste sur un archet de virtuose :

> L'ombre des arbres dans la rivière embrumée
> Meurt comme de la fumée
> Tandis qu'en l'air, parmi les ramures réelles,
> Se plaignent les tourterelles.
>
> Combien, ô voyageur, ce paysage blême
> Te mira blême toi-même,
> Et que tristes pleuraient dans les hautes feuillées
> Tes espérances noyées !
>
> Pièce IX.

Par ce recueil, Verlaine se révèle un poète de la modernité : il puise ses thèmes d'inspiration dans l'univers sidérurgique des villes du Nord. A Londres, il décrira les docks, puis, dans le plus pur style impressionniste, il dégagera avec une discrète tristesse l'impression provoquée par les ponts de la Tamise, les gares enfumées et les « faubourgs pacifiés » (*Streets,* II).

---

98. *Œuvres poétiques complètes* (la Pléiade), page 171.

ARIETTES OUBLIÉES

Il pleure dans mon cœur

> Il pleut doucement sur la ville
> ARTHUR RIMBAUD[99].

Il pleure[100] dans mon cœur
Comme il pleut sur la ville ;
Quelle est cette langueur
Qui pénètre mon cœur ?

5   Ô bruit doux de la pluie
Par terre et sur les toits !
Pour un cœur qui s'ennuie
Ô le chant de la pluie !

Il pleure sans raison
10   Dans ce cœur qui s'écœure.
Quoi ! nulle trahison ?...
Ce deuil est sans raison.

C'est bien la pire peine
De ne savoir pourquoi
15   Sans amour et sans haine
Mon cœur a tant de peine[101] ! **(12)**

C'est le chien de Jean de Nivelle

C'est le chien de Jean de Nivelle[102]
Qui mord sous l'œil même du Guet
Le chat de la mère Michel.
François-les-bas-bleus[103] s'en égaie.

---

99. Poème très célèbre, mis en musique par Debussy. Ce vers de Rimbaud, cité en épigraphe, ne figure dans aucun de ses poèmes. Peut-être n'était-ce qu'une phrase mélancolique que le « voleur de feu » aimait à prononcer ; **100.** La construction impersonnelle renforce la similitude recherchée avec la pluie (*il pleure-il pleut*), et le sentiment de tristesse grise s'en trouve renforcé ; **101.** Notez l'ordonnancement des rimes : le second vers de chaque strophe est isolé. L'intention prosodique est de faire de l'ariette une pure musique de mélancolie ; **102.** Charmante fantaisie passant en revue les personnages des chansons populaires, qu'aimaient Verlaine et Rimbaud ; **103.** *François-les-bas-bleus* : personnage d'un conte du même nom de Charles Nodier (1780-1844). Dans ce conte, Jean-François est un érudit visionnaire, à l'esprit détraqué. Il rédige, sur leur demande, les devoirs des collégiens ignorants.

———— QUESTIONS ————

Question 12, v. p. 47.

5   La Lune à l'écrivain public
Dispense sa lumière obscure
Où Médor avec Angélique[104]
Verdissent sur le pauvre mur.

Et voici venir La Ramée[105]
10   Sacrant, en bon soldat du Roy.
Sous son habit blanc mal famé
Son cœur ne se tient pas de joie :

Car la Boulangère... — Elle? — Oui dam[106] !
Bernant Lustucru, son vieil homme,
15   A tantôt couronné sa flamme...
Enfants, *Dominus vobiscum*[107] !

Place! En sa longue robe bleue
Toute en satin qui fait frou-frou,
C'est une impure, palsambleu[108] !
20   Dans sa chaise qu'il faut qu'on loue,

Fût-on philosophe ou grigou[109],
Car tant d'or s'y relève en bosse[110]
Que ce luxe insolent bafoue
Tout le papier de Monsieur Los[111] !

25   Arrière, robin[112] crotté! place,
Petit courtaud, petit abbé,

---

104. *Médor, Angélique* : personnages du *Roland furieux* de l'Arioste (1474-1533); **105.** *La Ramée* : surnom attribué généralement aux soldats de carrière, au temps de la monarchie; un peu l'équivalent de « l'ami Bidasse » sous la IIIᵉ République, avec une note plus poétique; **106.** Apocope (= chute de la dernière lettre) de *oui-dame*, affirmation appuyée, encore en usage dans certaines contrées; **107.** Locution latine de la liturgie romaine : « Dieu soit avec nous ! »; **108.** *Palsambleu* : ancien juron dont les siècles et le bon usage ont poli le contenu blasphématoire : « par le sang de Dieu ! »; **109.** Avare; **110.** Allusion à l'*Epigramme* de Trissotin dans *les Femmes savantes* :

> Et quand tu vois ce beau carrosse
> Où tant d'or se relève en bosse [...] (III, II) ;

111. Orthographe phonétique du nom du financier Law (que le peuple prononçait « loss »); **112.** *Robin* : homme de robe, magistrat ou avocat.

--- **QUESTIONS** ---

12. Appréciez-vous cette forme de virtuosité ?

— Dans quelle mesure ce poème est-il conforme à l'art poétique de Verlaine ?

Petit poète jamais las
De la rime non attrapée[113]!...

Voici, que la nuit vraie arrive...
30   Cependant jamais fatigué
D'être inattentif et naïf,
François-les-bas-bleus s'en égaie.

Ô TRISTE, TRISTE ÉTAIT MON ÂME

Ô triste, triste était mon âme[114]
A cause, à cause d'une femme[115].

Je ne me suis pas consolé
Bien que mon cœur s'en soit allé,

5   Bien que mon cœur, bien que mon âme
Eussent fui loin de cette femme.

Je ne me suis pas consolé,
Bien que mon cœur s'en soit allé.

Et mon cœur, mon cœur trop sensible
10   Dit à mon âme : Est-il possible,

Est-il possible, — le fût-il[116], —
Ce fier exil, ce triste exil ?

Mon âme dit à mon cœur : Sais-je
Moi-même que nous veut ce piège

15   D'être présents bien qu'exilés[117],
Encore que loin en allés ?

---

113. Allusion discrète à la composition du présent poème, dans lequel Verlaine-François-les-bas-bleus, badaud *inattentif et naïf* (vers 31), s'applique à « rater » ses rimes ; **114.** Echo adouci du *Psaume XLII* : *« Quare tristis es, anima mea ? »*. Verlaine sait donner à son angoisse et à ses regrets une note poignante et tendre ; **115.** Cette femme est vraisemblablement Mathilde, que le poète a abandonnée, mais dont il ne s'est pourtant pas consolé ; **116.** Le fût-il, conditionnel passé (et non : *le fut-il*, passé simple). Cette tournure très subtile ajoute au désespoir du poète en soulignant sa faiblesse d'homme devant des événements qu'il n'a pas su dominer : « y aurait-il eu un exil qui fût possible, et moi, je ne l'eusse point connu... » ; **117.** Jusqu'en Angleterre et en Belgique.

PAYSAGES BELGES

CHARLEROI

Dans l'herbe noire
Les Kobolds[118] vont.
Le vent profond
Pleure, on veut croire[119].

5   Quoi donc se sent?
L'avoine siffle.
Un buisson gifle.
L'œil au passant.

Plutôt des bouges
10   Que des maisons.
Quels horizons
De forges rouges!

On sent donc quoi[120]?
Des gares tonnent,
15   Les yeux s'étonnent,
Où Charleroi?

Parfums sinistres[121]!
Qu'est-ce que c'est?
Quoi bruissait
20   Comme des sistres[122]?

Sites brutaux!
Oh! votre haleine,
Sueur humaine,
Cris des métaux[123]!

---

118. Génies qui, dans les légendes germaniques, ont pour tâche de garder les trésors souterrains. Ici, ils veillent sur les mines de charbon; **119.** Appel à la crédulité que la raison rejette, mais que le charme obscur de cette ville suscite dans l'âme du poète; **120.** Notez l'allitération (vers 5 et 13). Dans les deux cas, l'interrogation est construite sur un mode familier, un peu relâché même, tout comme au vers 16, *Où Charleroi?*, et au vers 19, *Quoi bruissait;* **121.** Association de mots particulièrement suggestive; **122.** *Sistre :* instrument de musique, d'origine égyptienne, aux sons métalliques assez aigres; **123.** Très heureuse trouvaille pour désigner le bruit des ateliers de forge et de chaudronnerie situés à proximité de la gare.

25   Dans l'herbe noire
     Les Kobolds vont.
     Le vent profond
     Pleure, on veut croire[124].

MALINES[125]

     Vers les prés le vent cherche noise
     Aux girouettes, détail fin
     Du château de quelque échevin,
     Rouge de brique et bleu d'ardoise,
5   Vers les prés clairs, les prés sans fin...

     Comme les arbres des féeries,
     Des frênes, vagues frondaisons,
     Échelonnent mille horizons
     A ce Sahara de prairies[126],
10   Trèfle, luzerne et blancs gazons[127].

     Les wagons filent en silence
     Parmi ces sites apaisés.
     Dormez, les vaches[128]! Reposez,
     Doux taureaux de la plaine immense,
15   Sous vos cieux à peine irisés!

     Le train glisse sans un murmure,
     Chaque wagon est un salon
     Où l'on cause bas et d'où l'on
     Aime à loisir cette nature,
20   Faite à souhait pour Fénelon[129].

Août 72.

---

124. Ce texte rassemble les sensations physiques d'un voyageur nocturne mal réveillé. Mots, rythmes et sonorités sont heurtés comme des sons perçus du fond de la somnolence. Il est jusqu'aux phrases qui jaillissent, informes ou sans verbe, pareilles aux balbutiements égarés d'un dormeur que l'on réveille; 125. *Malines* : ville de Flandre, en Belgique; 126. Remarquez l'antithèse. Au vers suivant, les gazons sont dits *blancs* à cause du reflet qu'ils prennent, vus du train, sous le soleil. Ainsi, ce vers contribue-t-il à étayer l'hyperbole du *Sahara de prairies*; 127. Le paysage est décrit à la manière d'un tableau ou d'un décor de théâtre : au centre la bâtisse et à l'entour la végétation et l'arrière-plan; 128. Notez l'aspect à la fois burlesque et enfantin de l'expression *Dormez, les vaches!*; 129. Bien que né en Dordogne, Fénelon (1651-1715) était archevêque de Cambrai, en Flandre française.

AQUARELLES

GREEN[130]

Voici des fruits, des fleurs, des feuilles et des branches
Et puis voici mon cœur qui ne bat que pour vous.
Ne le déchirez pas avec vos deux mains blanches
Et qu'à vos yeux si beaux l'humble présent soit doux[131].

5 J'arrive tout couvert encore de rosée
Que le vent du matin vient glacer à mon front.
Souffrez que ma fatigue à vos pieds reposée
Rêve des chers instants qui la délasseront.

Sur votre jeune sein laissez rouler ma tête
10 Toute sonore encor de vos derniers baisers;
Laissez-la s'apaiser de la bonne tempête[132],
Et que je dorme un peu puisque vous reposez.

CHILD WIFE[133]

Vous n'avez rien compris à ma simplicité,
Rien, ô ma pauvre enfant!
Et c'est avec un front éventé, dépité,
Que vous fuyez devant.

5 Vos yeux qui ne devaient refléter que douceur,
Pauvre cher bleu miroir[134],
Ont pris un ton de fiel, ô lamentable sœur,
Qui nous fait mal à voir.

Et vous gesticulez avec vos petits bras
10 Comme un héros méchant,

---

130. *Green* : mot anglais signifiant « vert, verdure ». M. J. Robichez rapporte que V. P. Underwood, éditeur de Verlaine en Angleterre, déclare ce titre incompréhensible « pour un lecteur anglais moderne ». Cette *Aquarelle* fut mise en musique par Fauré et par Debussy ; **131.** Ces premiers vers semblent paraphraser la *Chanson d'Ophélie* : « Voilà du romarin [...], et voici des pensées [...] » ; mais l'ensemble du poème rappelle plutôt *les Roses de Saadi* de Marceline Desbordes-Valmore (1785-1859) ; **132.** *La bonne tempête*, c'est-à-dire l'émoi causé par la marche à travers champs, par opposition à l'ivresse alcoolique ou à l'exaltation érotique ; **133.** *Child wife* : mots anglais signifiant « femme-enfant ». Ce titre est emprunté au *David Copperfield* de Dickens (1812-1870); ces deux mots y désignent la petite Dora. Ici, ils concernent Mathilde ; **134.** Ces trois adjectifs antéposés paraissent figurer un anglicisme ; mais, en fait, il s'agit plutôt d'une tournure provinciale teintée de dialectisme (parler picard).

En poussant d'aigres cris poitrinaires, hélas!
Vous qui n'étiez que chant!

Car vous avez eu peur de l'orage et du cœur
Qui grondait et sifflait,
15 Et vous bêlâtes vers votre mère — ô douleur! —
Comme un triste agnelet[135].

Et vous n'aurez pas su la lumière et l'honneur
D'un amour brave et fort,
Joyeux dans le malheur, grave dans le bonheur,
20 Jeune jusqu'à la mort! **(13)**

Londres, 2 avril 1873.

---

135. Notez l'animosité du ressentiment chez Verlaine. Le poème date de la phase finale de la fugue.

────── **QUESTIONS** ──────

13. Vers 1. De quelle *simplicité* est-il question?
— Etudiez la concordance des temps.
— La modernité des vocables étrangers (le titre) dans ce poème.

SAGESSE

En mai 1874, Verlaine apprend par le directeur de la prison que le tribunal de la Seine vient de prononcer la séparation de corps entre lui et sa femme. Il se sent envahi par le péché ; il se convertit alors et s'en remet à Dieu :

> Ô mon Dieu, vous m'avez blessé d'amour.
> Et la blessure est encore vibrante
> Ô mon Dieu, vous m'avez blessé d'amour.

Sagesse (1881), œuvre à laquelle préside l'inspiration religieuse, sera considéré comme le sommet de l'œuvre chez Verlaine. Louis Morice, qui consacre à ce recueil une étude critique commentée, écrit : « Sans doute *Sagesse* a ouvert chez le poète une veine nouvelle, encore qu'il soit possible de discerner dans les poèmes antérieurs quelques motifs religieux. Mais, à dire vrai, ce renouvellement est surtout de l'homme, de l'homme « nouveau », à qui il fallait bien une inspiration nouvelle. « Sa conversion fut bien, quoi qu'on en ait dit, intégrale — embrassant l'homme et l'artiste. Le néophyte s'est tout de suite occupé de régler sa poésie sur sa foi[136]. »

Livre I

I

BON CHEVALIER MASQUÉ QUI CHEVAUCHE EN SILENCE

Bon chevalier masqué qui chevauche en silence,
Le Malheur a percé mon vieux cœur de sa lance.

Le sang de mon vieux cœur n'a fait qu'un jet vermeil,
Puis s'est évaporé sur les fleurs, au soleil.

5   L'ombre éteignit mes yeux, un cri vint à ma bouche
Et mon vieux cœur est mort dans un frisson farouche.

Alors le chevalier Malheur s'est rapproché,
Il a mis pied à terre et sa main m'a touché.

---

136. Paris, Nizet, 1968, page 24.

Son doigt ganté de fer entra dans ma blessure
10   Tandis qu'il attestait sa loi d'une voix dùre.

Et voici qu'au contact glacé du doigt de fer
Un cœur me renaissait, tout un cœur pur et fier

Et voici que, fervent d'une candeur divine,
Tout un cœur jeune et bon battit dans ma poitrine !

15   Or je restais tremblant, ivre, incrédule un peu,
Comme un homme qui voit des visions de Dieu.

Mais le bon chevalier, remonté sur sa bête,
En s'éloignant, me fit un signe de la tête

Et me cria (j'entends *encore* cette voix) :
20   « Au moins, prudence ! Car c'est bon pour une fois. »

VII

LES FAUX BEAUX JOURS ONT LUI TOUT LE JOUR, MA PAUVRE ÂME

Les faux beaux jours ont lui tout le jour, ma pauvre âme,
Et les voici vibrer aux cuivres du couchant.
Ferme les yeux, pauvre âme, et rentre sur-le-champ :
Une tentation des pires. Fuis l'Infâme.

5   Ils ont lui tout le jour en longs grêlons de flamme,
Battant toute vendange aux collines, couchant
Toute moisson de la vallée, et ravageant
Le ciel tout bleu, le ciel chanteur qui te réclame.

Ô pâlis, et va-t'en, lente et joignant les mains,
10   Si ces hiers allaient manger nos beaux demains ?
Si la vieille folie était encore en route ?

Ces souvenirs, va-t-il falloir les retuer ?
Un assaut furieux, le suprême sans doute !
Ô, va prier contre l'orage, va prier.

IX

SAGESSE D'UN LOUIS RACINE, JE T'ENVIE !

Sagesse d'un Louis Racine[137], je t'envie !
Ô n'avoir pas suivi les leçons de Rollin[138],
N'être pas né dans le grand siècle à son déclin,
Quand le soleil couchant[139], si beau, dorait la vie,

5   Quand Maintenon jetait sur la France ravie[140]
L'ombre douce et la paix de ses coiffes de lin,
Et, royale, abritait la veuve et l'orphelin[141],
Quand l'étude de la prière était suivie,

Quand poète et docteur, simplement, bonnement,
10   Communiaient avec des ferveurs de novices,
Humbles servaient la Messe et chantaient aux offices

Et, le printemps venu, prenaient un soin charmant
D'aller dans les Auteuils cueillir lilas et roses[142]
En louant Dieu, comme Garo[143], de toutes choses[144] !

---

137. Fils de Jean Racine et auteur d'ouvrages pieux d'une haute tenue spirituelle et littéraire (1692-1763) ; 138. Recteur de l'Université de Paris à la fin
du XVIIᵉ siècle, et auprès duquel Louis fut un élève assidu ; 139. Le Roi-Soleil
au terme de son règne ; 140. Contrevérité : ni la France ni la Cour n'étaient
ravies de la bigoterie de cette intrigante, devenue femme du roi en 1684 et qui
arborait à Versailles comme à Saint-Cyr des coiffures quasi monastiques ;
141. Allusion à l'orphelinat de Saint-Cyr, que Mᵐᵉ de Maintenon fonda pour
les jeunes filles nobles sans fortune ; 142. Allusion à la maison de Boileau
à Auteuil. Boileau et le fils du grand Racine étaient liés d'amitié ; 143. Personnage naïf et un peu borné de la fable de La Fontaine « le Gland et la
Citrouille » :

      En louant Dieu de toute chose
      Garo retourne à la maison [...] ;

144. Sans souci de la vérité historique, Verlaine, dans sa nostalgie d'une
atmosphère religieuse baignée de sérénité et de réconfort, idéalise le règne de
Mᵐᵉ de Maintenon en s'efforçant de faire de la fin du XVIIᵉ siècle une époque
de gracieuse décadence nimbée de quiétisme un peu niais. La vérité avait une
tout autre figure et qui n'était pas seulement celle du jansénisme et du gallicanisme (voir la pièce suivante).

Phot. Larousse.

Interprétation d'un portrait de Paul Verlaine
par Jean Sellem.

X

Non. Il fut gallican, ce siècle, et janséniste!

Non. Il fut gallican, ce siècle, et janséniste[145]!
C'est vers le Moyen Age énorme et délicat
Qu'il faudrait que mon cœur en panne[146] naviguât,
Loin de nos jours d'esprit charnel et de chair triste.

5   Roi, politicien, moine, artisan, chimiste,
Architecte, soldat, médecin, avocat,
Quel temps! Oui, que mon cœur naufragé rembarquât
Pour toute cette force ardente, souple, artiste[147]!

Et là que j'eusse part — quelconque, chez les rois
10   Ou bien ailleurs, n'importe, — à la chose vitale[148],
Et que je fusse un saint, actes bons, pensers droits[149],

Haute théologie et solide morale,
Guidé par la folie unique de la Croix
Sur tes ailes de pierre, ô folle Cathédrale[150]!

---

145. Allusion à une longue querelle d'Eglise entre *ultramontains* (partisans de l'autorité directe du pape) et *gallicans* (désireux de limiter l'autorité du pape dans les affaires intérieures de l'Eglise de France, pour laquelle ils réclamaient des libertés et des franchises). L. Morice (édition critique de *Sagesse* [Paris, Nizet, 1967], page 134) observe que cette querelle reprenait vivement, à propos de l'infaillibilité du pape, du temps de Verlaine. Celui-ci se rangea du côté des ultramontains et prit cause pour eux avec une énergie excessive en quelques-uns de ses poèmes. Ici, il semble voir dans le jansénisme un allié du gallicanisme, quoique leurs intentions spirituelles ne fussent point les mêmes; 146. Cette expression *mon cœur en panne*, qui pourrait paraître triviale, se rapporte, en fait, à la navigation à voile : un vaisseau était dit « en panne » lorsque le vent ne suffisait plus à le faire se déplacer. Après ses « malheurs tumultueux », le cœur du poète, parvenu dans le calme sans vent de la « sagesse », est « en panne »; 147. Allusion à l'indulgence avec laquelle étaient débattues en ce temps les controverses religieuses (du moins, tant qu'elles n'avaient pas de répercussions sur la vie séculière); 148. C'est-à-dire l'action qui compte dans la vie, l'action dans l'amour de Dieu, et non les stupides controverses des doctrines; 149. Apposition; lire : « un saint *aux* actes bons, *aux* pensers droits »; 150. Métaphore désignant l'ornementation des cathédrales gothiques médiévales, dont les tours aériennes semblent s'envoler vers Dieu. A l'étude et à la retraite sereine du XVIIIᵉ siècle, du moins telle qu'il l'imagine à travers Louis Racine, Verlaine oppose l'action multiple et fortement imprégnée de foi du Moyen Age et il lui donne même sa préférence. Il ne précise pas *quel* Moyen Age (l'époque? le lieu?); et, guère plus soucieux de la vérité historique que dans le sonnet précédent, il se fabrique un Moyen Age vertueux et prude où les troubadours et les paillards n'existent pas. C'est la même idéalisation vers une pureté spirituelle et rédemptrice que précédemment, à laquelle le pauvre poète tend de toute sa fragile volonté de nouveau converti.

XVI

ÉCOUTEZ LA CHANSON BIEN DOUCE[151]

Écoutez la chanson bien douce
Qui ne pleure que pour vous plaire.
Elle est discrète, elle est légère :
Un frisson d'eau sur de la mousse !

5 La voix vous fut connue (et chère ?),
Mais à présent elle est voilée
Comme une veuve désolée,
Pourtant comme elle encore fière,

Et dans les longs plis de son voile
10 Qui palpite aux brises d'automne,
Cache et montre au cœur qui s'étonne
La vérité comme une étoile.

Elle dit, la voix reconnue,
Que la bonté c'est notre vie,
15 Que de la haine et de l'envie
Rien ne reste, la mort venue.

Elle parle aussi de la gloire
D'être simple sans plus attendre,
Et de noces d'or et du tendre
20 Bonheur d'une paix sans victoire.

Accueillez la voix qui persiste
Dans son naïf épithalame.
Allez, rien n'est meilleur à l'âme
Que de faire une âme moins triste !

25 Elle est *en peine* et *de passage*,
L'âme qui souffre sans colère,
Et comme sa morale est claire !...
Écoutez la chanson bien sage.

---

151. Verlaine cherche ici à émouvoir sa femme en reprenant les thèmes de *la Bonne Chanson*, qu'il évoque d'ailleurs dans le premier et le dernier vers du poème.

Livre II

IV

I

MON DIEU M'A DIT : MON FILS, IL FAUT M'AIMER. TU VOIS

Mon Dieu m'a dit : Mon fils, il faut m'aimer. Tu vois
Mon flanc percé, mon cœur qui rayonne et qui saigne,
Et mes pieds offensés que Madeleine baigne
De larmes, et mes bras douloureux sous le poids

5 De tes péchés, et mes mains ! Et tu vois la croix,
Tu vois les clous, le fiel, l'éponge, et tout t'enseigne
A n'aimer, en ce monde amer où la chair règne,
Que ma Chair et mon Sang, ma parole et ma voix.

Ne t'ai-je pas aimé jusqu'à la mort moi-même,
10 Ô mon frère en mon Père, ô mon fils en l'Esprit,
Et n'ai-je pas souffert, comme c'était écrit ?

N'ai-je pas sangloté ton angoisse suprême
Et n'ai-je pas sué la sueur de tes nuits,
Lamentable ami qui me cherches où je suis ?

II

J'ai répondu : Seigneur, vous avez dit mon âme.
C'est vrai que je vous cherche et ne vous trouve pas.
Mais vous aimer ! Voyez comme je suis en bas,
Vous dont l'amour toujours monte comme la flamme.

5 Vous, la source de paix que toute soif réclame,
Hélas ! voyez un peu tous mes tristes combats !
Oserai-je adorer la trace de vos pas,
Sur ces genoux saignants d'un rampement infâme ?

Et pourtant je vous cherche en longs tâtonnements,
10 Je voudrais que votre ombre au moins vêtît ma honte,
Mais vous n'avez pas d'ombre, ô vous dont l'amour monte,

Ô vous, fontaine calme, amère aux seuls amants

De leur damnation, ô vous, toute lumière,
Sauf aux yeux dont un lourd baiser tient la paupière !

Livre III

IV

Gaspard Hauser[152] *chante :*

JE SUIS VENU, CALME ORPHELIN

Je suis venu, calme orphelin,
Riche de mes seuls yeux tranquilles,
Vers les hommes des grandes villes :
Ils ne m'ont pas trouvé malin.

5   A vingt ans un trouble nouveau
Sous le nom d'amoureuses flammes
M'a fait trouver belles les femmes :
Elles ne m'ont pas trouvé beau[153].

Bien que sans patrie et sans roi
10   Et très brave ne l'étant guère,
J'ai voulu mourir à la guerre :
La mort n'a pas voulu de moi[154].

Suis-je né trop tôt ou trop tard[155] ?
Qu'est-ce que je fais en ce monde ?
15   Ô vous tous, ma peine est profonde :
Priez pour le pauvre Gaspard ! **(14)**

---

152. *Gaspard Hauser :* personnage historique, peut-être fils de Stéphanie de Beauharnais (nièce de Joséphine) et de Charles de Bade. Il naquit, pense-t-on, en 1812, et aurait été dérobé sitôt après l'accouchement : on lui aurait substitué un enfant mort-né afin de détourner l'héritage vers la branche cadette des Bade. Il passa pour « enfant trouvé » et traîna une existence malheureuse dans plusieurs villes d'Allemagne jusqu'à ce qu'on l'assassinât (1833). Au fond de sa geôle belge, Verlaine identifie sa destinée à celle de Gaspard. Ce poème est inspiré par l'accablement qui succéda au verdict (8 août 1873) ; 153. Allusions à la laideur de son visage, qui, dans sa jeunesse, inspirait au poète de la timidité devant les femmes. (D'après son ami d'enfance Lepelletier, *Verlaine,* page 213.) ; 154. Allusion probable à l'engagement qu'il songea un moment, après sa brouille avec Rimbaud, en juillet 1873, à prendre dans l'armée carliste ; 155. Réminiscence du vers fameux de Musset dans *Rolla* « Je suis venu trop tard dans un monde trop vieux ».

--- **QUESTIONS** ---

14. Comparez la destinée de Gaspard Hauser à celle de Verlaine.

VI

LE CIEL EST, PAR-DESSUS LE TOIT

Le ciel est, par-dessus le toit,
　　Si bleu, si calme !
Un arbre, par-dessus le toit,
　　Berce sa palme.

5　La cloche, dans le ciel qu'on voit,
　　Doucement tinte.
Un oiseau sur l'arbre qu'on voit
　　Chante sa plainte.

Mon Dieu, mon Dieu, la vie est là,
10　　Simple et tranquille.
Cette paisible rumeur-là
　　Vient de la ville.

— Qu'as-tu fait, ô toi que voilà
　　Pleurant sans cesse,
15　Dis, qu'as-tu fait, toi que voilà,
　　De ta jeunesse ?

XVI

LA « GRANDE VILLE ». UN TAS CRIARD DE PIERRES BLANCHES

La « grande ville[156] ». Un tas criard de pierres blanches
Où rage le soleil comme en pays conquis.
Tous les vices ont leurs tanières, les exquis
Et les hideux, dans ce désert de pierres blanches.

5　Des odeurs. Des bruits vains. Où que vague le cœur,
Toujours ce poudroiement vertigineux de sable,
Toujours ce remuement de la chose coupable
Dans cette solitude où s'écœure le cœur !

---

156. Résolu à mener désormais une vie exemplaire et vertueuse, le poète décide de se tenir à l'écart de Paris, de la *grande ville,* où tous les vices *ont leurs tanières...* Plus tard, en 1880, poursuivant cette idée, il tentera un retour aux champs, dans sa retraite de Juniville.

> De près, de loin, le Sage aura sa Thébaïde
> 10 Parmi le fade ennui qui monte de ceci,
> D'autant plus âpre et plus sanctifiante aussi
> Que deux parts[157] de son âme y pleurent, dans ce vide !

Paris, 1877.

XIX

SAINTE THÉRÈSE VEUT QUE LA PAUVRETÉ SOIT

> Sainte Thérèse veut que la Pauvreté soit
> La reine d'ici-bas, et littéralement !
> Elle dit peu de mots de ce gouvernement
> Et ne s'arrête point aux détails de surcroît ;

> 5 Mais le Point, à son sens, celui qu'il faut qu'on voie
> Et croie, est ceci dont elle la complimente :
> Le libre arbitre pèse, argue et parlemente,
> Puis le pauvre de cœur décide et suit sa voie.

> Qui l'en empêchera ? De vœux il n'en a plus
> 10 Que celui d'être un jour au nombre des élus,
> Tout-puissant serviteur, tout-puissant souverain,

> Prodigue et dédaigneux, sur tous, des choses eues,
> Mais accumulateur des seules choses sues,
> De quel si fier sujet, et libre, quelle reine !

---

157. Ces *deux parts* : « Ma femme et mon fils » (sur un exemplaire annoté).
En réalité, ce ne sont pas ces *deux parts de son âme* qui pleurent, mais Verlaine qui espère toujours une réconciliation ou, du moins, un adoucissement
des rapports avec son ex-femme.

JADIS ET NAGUÈRE

Jadis

> SONNETS ET AUTRES VERS
>
> VERS JEUNES
>
> A LA MANIÈRE DE PLUSIEURS

Naguère

Ce recueil disparate regroupe des textes anciens et d'autres plus récents. Après la *Sagesse* de la conversion, *Jadis et Naguère* (1884) tient lieu d'émonctoire : Verlaine y laisse couler ses passions mortes où se mêle la nostalgie de son « péché radieux », qui portait le nom d'Arthur Rimbaud.

JADIS

SONNETS ET AUTRES VERS

A LA LOUANGE DE LAURE ET DE PÉTRARQUE

À la louange de Laure et de Pétrarque[158].

Chose italienne où Shakspeare a passé
Mais que Ronsard fit superbement française,
Fine basilique au large diocèse,
Saint-Pierre-des-Vers, immense et condensé,

5 Elle, ta marraine, et Lui qui t'a pensé[159],
Dogme entier toujours debout sous l'exégèse
Même edmondschéresque ou francisquesarceyse[160],
Sonnet, force acquise et trésor amassé,

---

158. Pièce publiée dans *la Nouvelle Rive gauche*, en mars 1883, sous le titre : « le Sonnet ». Cette pièce est, en effet, un sonnet d'une facture parfaite et composé à la gloire du genre ; **159.** Le sonnet fut inventé, pense-t-on, à la cour normande de Sicile, vers le milieu du XIIIᵉ siècle. Certaines traditions en attribuent à tort la paternité à Pétrarque. Verlaine semble y donner foi. Pétrarque illustra admirablement le sonnet, mais n'en inventa pas les règles ; **160.** Adjectifs burlesques inventés pour définir la manière de Francisque Sarcey (1827-1899), critique dramatique, et celle d'Edmond Schérer (1815-1889), critique littéraire, tous deux de religion protestante et tous deux dédaigneux du sonnet, et donc hostiles à *Saint-Pierre-des-Vers*, comme à Saint-Pierre de Rome.

Ceux-là sont très bons et toujours vénérables,
10 Ayant procuré leur luxe aux misérables
Et l'or fou qui sied aux pauvres glorieux,

Aux poètes fiers comme les gueux d'Espagne.
Aux vierges qu'exalte un rhythme exact, aux yeux
Épris d'ordre, aux cœurs qu'un vœu chaste accompagne. **(15)**

DIZAIN MIL HUIT CENT TRENTE[161]

Je suis né romantique et j'eusse été fatal
En un frac très étroit aux boutons de métal[162],
Avec ma barbe en pointe et mes cheveux en brosse.
Hablant[163] español, très loyal et très féroce.
5 L'œil idoine à l'œillade et chargé de défis.
Beautés mises à mal et bourgeois déconfits
Eussent bondé ma vie et soûlé mon cœur d'homme
Pâle et jaune, d'ailleurs, et taciturne comme
Un infant scrofuleux dans un Escurial...
10 Et puis j'eusse été si féroce et si loyal !

SONNET BOITEUX[164]

À Ernest Delahaye[165].

Ah ! vraiment c'est triste, ah ! vraiment ça finit trop mal.
Il n'est pas permis d'être à ce point infortuné.
Ah ! vraiment c'est trop la mort du naïf animal
Qui voit tout son sang couler sous son regard fané.

---

161. Pièce publiée dans *la Nouvelle Lune* en février 1883 ; elle fut écrite en 1874. Le symbolisme montre, du moins en ses débuts, une certaine prédilection pour l'époque Charles X, sans doute par mouvement de sympathie envers la vague de manifestations antibourgeoises que le romantisme déclencha chez les artistes ; **162.** Vers à double sens : d'une part, allusion à la mode un peu guindée des élégants révoltés de l'époque ; d'autre part, transposition de l'état physiologique propre aux gens tourmentés par une passion douloureuse et romantique ; **163.** Il ne s'agit pas du verbe *hâbler*, « dire des vantardises », mais de l'espagnol *hablar*, « parler ». En 1830, consécutivement au « scandale théâtral » d'*Hernani*, l' « espagnolisme » fit fureur chez les « lions » de la jeunesse dorée parisienne ; **164.** Publié dans *la Nouvelle Lune* en février 1883, écrit en 1873. C'est un retour critique sur ses frasques sordides à travers Londres, *cette ville de la Bible*, en compagnie de Rimbaud. L'emploi du vers de treize pieds, la rime alternée et les répétitions de mots justifient le titre, toutes ces licences étant proscrites par la règle du sonnet ; **165.** *Ernest Delahaye* (1853-1930) était un ami de Verlaine.

QUESTIONS

Question 15, v. p. 65.

5 Londres fume et crie. Ô quelle ville de la Bible !
Le gaz flambe et nage et les enseignes sont vermeilles.
Et les maisons dans leur ratatinement terrible
Épouvantent comme un sénat de petites vieilles.

Tout l'affreux passé saute, piaule, miaule et glapit
10 Dans le brouillard rose et jaune et sale des Sohos
Avec des *indeeds* et des *all rights* et des *haôs*[166].

Non vraiment c'est trop un martyre sans espérance,
Non vraiment cela finit trop mal, vraiment c'est triste :
Ô le feu du ciel sur cette ville de la Bible[167] !

LE CLOWN[168]

À Laurent Tailhade[169].

Bobèche[170], adieu ! bonsoir, Paillasse ! arrière, Gille[171] !
Place, bouffons vieillis, au parfait plaisantin,
Place ! très grave, très discret et très hautain,
Voici venir le maître à tous, le clown agile.

5 Plus souple qu'Arlequin et plus brave qu'Achille,
C'est bien lui, dans sa blanche armure de satin ;
Vides et clairs ainsi que des miroirs sans tain,
Ses yeux ne vivent pas dans son masque d'argile.

---

166. Mots anglais : *indeed,* « vraiment » ; *all right,* « d'accord » ; *haô* (= *aoh*), « ho ! ». A tous, Verlaine met la marque du pluriel ; ce qui n'est pas dans l'usage ; **167.** Le poète réclame pour la ville de Londres, qui a abrité ses amours, le châtiment qui détruisit Sodome ; **168.** Publié dans *le Hanneton* en juillet 1867 ; **169.** *Laurent Tailhade* (1854-1919) : poète symboliste et critique littéraire très renommé à la fin du siècle. La dédicace est postérieure à la première publication du poème ; **170.** *Bobèche* (= Bobêche) : nom d'un célèbre pitre, au temps de l'Empire et de la Restauration. Fils d'un tapissier du faubourg Saint-Antoine, il forma un tandem comique avec un ancien menuisier, *Galimafrée,* dont le renom se perpétua jusque vers la fin du siècle dernier. Le nom de *bobèche* a subsisté pour désigner un homme qui fait des pitreries ; **171.** *Gille* (= Gilles) : nom traditionnel d'un personnage du théâtre de foire. De même Paillasse (un *paillasse,* un *gilles*).

═══ QUESTIONS ═══

15. On comparera ce poème avec le « Sonnet avec la manière de s'en servir » de Tristan Corbière (cf. « Nouveaux Classiques Larousse », page 28).
— Dégagez les qualités essentielles de ce sonnet.

Il luisent bleus parmi le fard et les onguents,
10 Cependant que la tête et le buste, élégants,
Se balancent sur l'arc paradoxal des jambes.

Puis il sourit. Autour le peuple bête et laid,
La canaille puante et *sainte* des Iambes[172],
Acclame l'histrion sinistre qui la hait. **(16)**

ART POÉTIQUE

À Charles Morice.

De la musique avant toute chose,
Et pour cela préfère l'Impair
Plus vague et plus soluble dans l'air,
Sans rien en lui qui pèse ou qui pose.

5 Il faut aussi que tu n'ailles point
Choisir tes mots sans quelque méprise :
Rien de plus cher que la chanson grise
Où l'Indécis au Précis se joint.

C'est des beaux yeux derrière des voiles,
10 C'est le grand jour tremblant de midi,
C'est par un ciel d'automne attiédi,
Le bleu fouillis des claires étoiles !

Car nous voulons la Nuance encor,
Pas la Couleur, rien que la Nuance !
15 Oh ! la Nuance seule fiance
Le rêve au rêve et la flûte au cor !

Fuis du plus loin la Pointe assassine,
L'Esprit cruel et le Rire impur,

---

172. Allusion à un recueil de poésies d'Auguste Barbier (1805-1882), *Iambes*, dans lequel se trouve cette expression : « La grande populace et la sainte canaille » (*la Curée*).

─────── **QUESTIONS** ───────

16. L'effet produit par l'hyperponctuation du premier quatrain ? Citez des auteurs qui usèrent de ce procédé.

— Les thèmes du clown dans la littérature et dans les arts plastiques.

— Comparez ce sonnet avec le poème de Laforgue « L'hiver qui vient » (cf. « Nouveaux Classiques Larousse », page 55).

Qui font pleurer les yeux de l'Azur,
20   Et tout cet ail de basse cuisine!

Prends l'éloquence et tords-lui son cou!
Tu feras bien, en train d'énergie,
De rendre un peu la Rime assagie :
Si l'on n'y veille, elle ira jusqu'où?

25   Ô qui dira les torts de la Rime!
Quel enfant sourd ou quel nègre fou
Nous a forgé ce bijou d'un sou
Qui sonne creux et faux sous la lime?

De la musique encore et toujours!
30   Que ton vers soit la chose envolée
Qu'on sent qui fuit d'une âme en allée
Vers d'autres cieux à d'autres amours.

Que ton vers soit la bonne aventure
Éparse au vent crispé du matin
35   Qui va fleurant la menthe et le thym...
Et tout le reste est littérature.

LE PITRE[173]

Le tréteau qu'un orchestre emphatique secoue
Grince sous les grands pieds du maigre baladin
Qui harangue non sans finesse et sans dédain
Les badauds piétinant devant lui dans la boue.

5   Le plâtre de son front et le fard de sa joue
Font merveille. Il pérore et se tait tout soudain,
Reçoit des coups de pieds au derrière, badin,
Baise au cou sa commère énorme, et fait la roue.

Ses boniments, de cœur et d'âme approuvons-les.
10   Son court pourpoint de toile à fleurs et ses mollets[174]
Tournants jusqu'à l'abus valent que l'on s'arrête.

---

173. Publié en décembre 1868 dans un recueil collectif à tirage limité : *Sonnets et Eaux-fortes* (Paris, Lemerre); 174. Ce sont de faux mollets, qui tournent dans le bas, sur la jambe.

Mais ce qu'il sied à tous d'admirer, c'est surtout
Cette perruque d'où se dresse sur la tête,
Preste, une queue avec un papillon au bout. **(17)**

L'AUBERGE[175]

À Jean Moréas.

Murs blancs, toit rouge, c'est l'Auberge fraîche au bord
Du grand chemin poudreux où le pied brûle et saigne,
L'auberge gaie avec le *Bonheur* pour enseigne.
Vin bleu, pain tendre, et pas besoin de passe-port.

5 Ici l'on fume, ici l'on chante, ici l'on dort.
L'hôte est un vieux soldat, et l'hôtesse, qui peigne
Et lave dix marmots roses et pleins de teigne,
Parle d'amour, de joie et d'aise, et n'a pas tort !

La salle au noir plafond de poutres, aux images
10 Violentes, *Maleck Adel*[176] et les *Rois Mages,*
Vous accueille d'un bon parfum de soupe aux choux.

Entendez-vous ? C'est la marmite qu'accompagne
L'horloge du tic-tac allègre de son pouls.
Et la fenêtre s'ouvre au loin sur la campagne.

---

175. Publié dans *le Hanneton* en janvier 1868 ; écrit en septembre 1866. Jean Moréas [Papadiamantopoulos] (1856-1910) était un poète symboliste, d'origine athénienne (*les Stances*). Plus jeune que Verlaine, il avait pour celui-ci une grande admiration. La dédicace est postérieure de près de vingt années à la publication ; **176.** *Maleck Adel : personnage du roman de M*me *Cottin Mathilde ou Mémoires tirés de l'histoire des croisades* (1805). Frère de Saladin, il aime Mathilde, sœur de Richard Cœur de Lion. Verlaine ne connaissait pas encore sa future femme en 1866. Le personnage n'est donc pas allusif ici ; il le deviendra dans « Images d'un soir ».

--- **QUESTIONS** ---

17. L'effet produit par le manque de ponctuation dans le premier quatrain ? Citez des auteurs qui usèrent de ce procédé.

— Quelle différence faites-vous entre un clown et un pitre ? Tracez l'esquisse psychologique des deux personnages.

— L'importance que Verlaine attache au costume. N'est-ce pas le costume qui impose un rôle à l'homme qui le porte ?

— Pour Jean-Louis Depierris, « *le Pitre* procède d'une écriture invertébrée ». Souscrivez-vous à ce jugement ?

— Si vous aviez à titrer ce poème, que proposeriez-vous ? Pourquoi ?

5 On danse aussi, car tout est dans la marge
Que fait le fleuve à ce livre parfait,
Et si parfois l'on tuait ou buvait,
Le fleuve est sourd et le vin est litharge[185].

Le Point-du-Jour, mais c'est l'Ouest de Paris[186] !
10 Un calembour a béni son histoire[187]
D'affreux baisers et d'immondes paris.

En attendant que sonne l'heure noire
Où les bateaux-omnibus et les trains
Ne partent plus, tirez, tirs, fringuez[188], reins !

UN POUACRE[189]

À Jean Moréas.

Avec les yeux d'une tête de mort
Que la lune encore décharne,
Tout mon passé, disons tout mon remords,
Ricane à travers ma lucarne[190].

5 Avec la voix d'un vieillard très cassé,
Comme l'on n'en voit qu'au théâtre,
Tout mon remords, disons tout mon passé,
Fredonne un tralala folâtre.

Avec les doigts d'un pendu déjà vert
10 Le drôle agace une guitare

---

185. *La litharge* est un produit chimique (protoxyde de plomb cristallisé) employé dans la fabrication des peintures et des vernis. Il arrivait que des marchands véreux en usassent pour frelater le vin rouge de piètre qualité. Verlaine feint de confondre litharge et léthargie : le fleuve sourd se fait complice du crime, et le vin endort les consciences ; 186. Le *Point-du-Jour* est situé au couchant de Paris, et non à son levant. C'est pourquoi le sonnet est intitulé « Aube à l'envers ». Au siècle dernier, c'était encore un lieu-dit assez mal famé au-delà de la barrière (c'est-à-dire hors les fortifications) ; 187. Allusion possible à un duel où un seigneur y eut, au XVIIIe siècle, tôt le matin, au « point du jour » ; 188. *Fringuer* : vieux mot qui signifie « sauter, danser », d'origine provençale (*fringar*) et dont il subsiste une forme en français moderne : *fringant* (ex. : « un fringant jeune homme »). L'homonyme argotique fringue, fringuer s'est développé parallèlement, à partir du provençal *fringa*, « toilette recherchée » ; 189. Pièce composée dans la prison de Bruxelles (septembre 1873). Le mot *pouacre* désigne un être sale, dégoûtant ; il existe aussi comme adjectif ; « une fille pouacre » (particulièrement sale). La dédicace à Moréas, ultérieure, pourrait être une « malice » de Verlaine ! 190. Dans sa cellule, Verlaine, démoralisé, opère un retour sur lui-même, sans indulgence.

VERS JEUNES

LA SOUPE DU SOIR

À J.-K. Huysmans[177].

Il fait nuit dans la chambre étroite et froide où l'homme
Vient de rentrer, couvert de neige, en blouse, et comme
Depuis trois jours il n'a pas prononcé deux mots,
La femme a peur et fait des signes aux marmots.

5 Un seul lit, un bahut disloqué, quatre chaises,
Des rideaux jadis blancs conchiés des punaises,
Une table qui va s'écroulant d'un côté, —
Le tout navrant avec un air de saleté.

L'homme, grand front, grands yeux pleins d'une sombre
[flamme
10 A vraiment des lueurs d'intelligence et d'âme
Et c'est ce qu'on appelle un solide garçon.
La femme, jeune encore, est belle à sa façon.

Mais la Misère a mis sur eux sa main funeste,
Et perdant par degrés rapides ce qui reste
15 En eux de tristement vénérable et d'humain,
Ce seront la femelle et le mâle, demain.

Tous se sont attablés pour manger de la soupe
Et du bœuf, et ce tas sordide forme un groupe
Dont l'ombre à l'infini s'allonge tout autour
20 De la chambre, la lampe étant sans abat-jour.

Les enfants sont petits et pâles, mais robustes
En dépit des maigreurs saillantes de leurs bustes
Qui disent les hivers passés sans feu souvent
Et les étés subis dans un air étouffant.

25 Non loin d'un vieux fusil rouillé qu'un clou supporte
Et que la lampe fait luire d'étrange sorte,

---

177. *J.-K. Huysmans* : écrivain français (1848-1907), auteur du fameux roman *A rebours* (1884), dans lequel le héros, des Esseintes, montre une certaine prédilection pour les poèmes de Verlaine. Le très grand succès de ce livre contribua d'une façon décisive au renom du poète. Verlaine s'en montra très reconnaissant.

Quelqu'un qui chercherait longtemps dans ce retrait
Avec l'œil d'un agent de police verrait

Empilés dans le fond de la boiteuse armoire,
30 Quelques livres poudreux de « science » et d' « histoire »,
Et sous le matelas, cachés avec grand soin,
Des romans capiteux cornés à chaque coin.

Ils mangent cependant. L'homme, morne et farouche,
Porte la nourriture écœurante à sa bouche
35 D'un air qui n'est rien moins nonobstant que soumis,
Et son eustache[178] semble à d'autres soins promis.

La femme pense à quelque ancienne compagne,
Laquelle a tout, voiture et maison de campagne,
Tandis que les enfants, leurs poings dans leurs yeux clos,
40 Ronflant sur leur assiette imitent des sanglots[179].

A LA MANIÈRE DE PLUSIEURS

PANTOUM NÉGLIGÉ[180]

Trois petits pâtés, ma chemise brûle.
Monsieur le curé n'aime pas les os.
Ma cousine est blonde, elle a nom Ursule,
Que n'émigrons-nous vers les Palaiseaux?

5 Ma cousine est blonde, elle a nom Ursule,
On dirait d'un cher glaïeul sur les eaux.
Vivent le muguet et la campanule!
Dodo, l'enfant do, chantez, doux fuseaux.

Que n'émigrons-nous vers les Palaiseaux?
10 Trois petits pâtés, un point et virgule;
On dirait d'un cher glaïeul sur les eaux;
Vivent le muguet et la campanule.

Trois petits pâtés, un point et virgule;
Dodo, l'enfant do, chantez, doux fuseaux.
15 La libellule erre emmi[181] les roseaux.
Monsieur le curé, ma chemise brûle[182]!

PAYSAGE[183]

Vers Saint-Denis c'est bête et sale la campagne.
C'est pourtant là qu'un jour j'emmenai ma compagne.
Nous étions de mauvaise humeur et querellions.
Un plat soleil d'été tartinait ses rayons
5 Sur la plaine séchée ainsi qu'une rôtie.
C'était pas trop après le Siège : une partie
Des « maisons de campagne » était à terre encor.
D'autres se relevaient comme on hisse un décor,
Et des obus tout neufs encastrés aux pilastres
10 Portaient écrit autour : SOUVENIR DES DÉSASTRES. (18)

L'AUBE A L'ENVERS[184]

À Louis Dumoulin.

Le Point-du-Jour avec Paris au large,
Des chants, des tirs, les femmes qu'on « rêvait »,
La Seine claire et la foule qui fait
Sur ce poème un vague essai de charge.

---

178. *Son eustache* : métaphore un peu triviale pour désigner son oreille (sa « trompe d'Eustache ») ou, plus amplement, son attention, son esprit; 179. Ce poème fut publié dans le second *Parnasse contemporain* (1869). On y relève quelque ressemblance avec les vers de Rimbaud à son début. Verlaine a tendance à appuyer sur le détail sordide; 180. Publié dans *le Chat noir* en mai 1883. Le pantoum (pantoung) est un type de poème, d'origine malaise, importé par les romantiques. Les règles en sont très strictes. Th. de Banville (dans *Petit Traité de poésie française*) les définit ainsi : « poème composé de quatrains dans lesquels deux sens sont poursuivis parallèlement, c'est-à-dire un sens dans les deux premiers vers de chaque strophe, et un autre sens dans les deux suivants. Le second vers de chacune des strophes devient le premier de la strophe suivante. Enfin, le dernier vers du poème doit être identique au premier. Verlaine passe outre à ces règles compliquées avec la plus grande fantaisie. C'est pourquoi il dit son pantoum *négligé*.

181. *Emmi* : dans, parmi, au milieu de (archaïsme); 182. Il ne faut pas chercher une signification précise à ce poème. C'est une fantaisie émaillée de fragments de comptines, de berceuses ou de rengaines. L'auteur y tente des rapprochements insolites. Cette pièce, qui enthousiasma les zutistes, préfigure les « inventaires » tant prisés des surréalistes; 183. Publié dans *le Chat noir* en juillet 1883; écrit entre juillet 1872 et août 1874. C'est le souvenir d'une promenade avec Mathilde; 184. Publié dans *le Chat noir* en août 1883; écrit probablement en 1882 alors que le poète enseignait à Boulogne-sur-Seine. Louis Dumoulin était un peintre et le beau-frère de Lepelletier, l'ami d'enfance du poète.

— QUESTIONS —

18. La nature de l'humour.
— Analysez la composition de ce poème.

Et danse sur l'avenir grand ouvert
D'un air d'élasticité rare[191].

· ·

NAGUÈRE

CRIMEN AMORIS[192]

À Villiers de l'Isle-Adam.

Dans un palais[193], soie et or, dans Ecbatane[194],
De beaux démons, des Satans adolescents,
Au son d'une musique mahométane,
Font litière aux Sept Péchés de leurs cinq sens.

5   C'est la fête aux Sept Péchés : ô qu'elle est belle !
Tous les Désirs rayonnaient en feux brutaux ;
Les Appétits, pages prompts que l'on harcèle,
Promenaient des vins roses dans des cristaux.

Des danses sur des rhythmes d'épithalames
10   Bien doucement se pâmaient en longs sanglots
Et de beaux chœurs de voix d'hommes et de femmes
Se déroulaient, palpitaient comme des flots,

Et la bonté qui s'en allait de ces choses
Était puissante et charmante tellement

---

191. Consécutivement à ses déboires carcéraux, Verlaine semble réviser ses relations futures avec Rimbaud ; **192.** Mots latins signifiant « crime d'amour ». C'est le premier poème composé en prison, sitôt l'incarcération (Bruxelles, juillet 1873). Il fut publié dans *la Libre Revue* en mars 1884 et dans *le Chat noir* en novembre 1885. L'écrivain Villiers de L'Isle-Adam est un ami de jeunesse de Verlaine, lequel l'inclut dans la seconde série de ses *Poètes maudits ;* **193.** Il s'agit, dans une évocation symbolique sous forme de « mystère » (au sens du mot), de l'aventure spirituelle de Verlaine et de Rimbaud. Le poète montre très bien que sa rencontre avec le « mauvais ange de seize ans » va bien au-delà de la simple portée du vice ou de la « déviation ». Rimbaud postulait une nécessité de retrouver l'innocence et la grâce à travers une révolte métaphysique qui confinât au satanisme, du moins comme transition vers ce « nouvel amour », vers cette dimension humaine et universellement fraternelle ainsi réinventée. Verlaine accepta de suivre Rimbaud dans cette voie vertigineuse. Mais, après la catastrophe, il mesure l'étendue de l'échec ; il constate son incapacité propre de suivre « le Pauvre Lelian » jusqu'à l'extrême bord de l'Enfer, où doivent se joindre les *Sept Péchés aux Trois Vertus théologales*, et il pressent que rien ne restera *dans ce désastre inouï*. Aussi amorce-t-il d'instinct un repli vers *le Dieu clément qui nous gardera du mal*, et cela dix mois avant sa « conversion ». En somme, *Crimen Amoris* est le contrepoint d'*Une saison en enfer* : le même échec, la même déception, la même désillusion est éprouvée et soufferte par les deux poètes ; **194.** *Ecbatane :* capitale de l'ancienne Médie.

15   Que la campagne autour se fleurit de roses
    Et que la nuit paraissait en diamant.

    Or le plus beau d'entre tous ces mauvais anges
    Avait seize ans sous sa couronne de fleurs.
    Les bras croisés sur les colliers et les franges,
20   Il rêve, l'œil plein de flammes et de pleurs.

    En vain la fête autour se faisait plus folle,
    En vain les Satans, ses frères et ses sœurs,
    Pour l'arracher au souci qui le désole,
    L'encourageaient d'appels de bras caresseurs :

25   Il résistait à toutes câlineries,
    Et le chagrin mettait un papillon noir
    A son beau front tout brûlant chargé d'orfèvreries.
    Ô l'immortel et terrible désespoir !

    Il leur disait : « Ô vous, laissez-moi tranquille ! »
30   Puis, les ayant tous baisés tous bien tendrement,
    Il s'évada d'avec eux d'un geste agile,
    Leur laissant aux mains des pans de vêtement.

    Le voyez-vous sur la tour la plus céleste
    Du haut palais avec une torche au poing ?
35   Il la brandit comme un héros fait d'un ceste[195] :
    D'en bas on croit que c'est une aube qui point.

    Qu'est-ce qu'il dit de sa voix profonde et tendre
    Qui se marie au claquement clair du feu
    Et que la lune est extatique d'entendre ?
40   « Oh ! je serai celui-là qui créera Dieu[196] ! »

    « Nous avons tous trop souffert, anges et hommes,
    « De ce conflit entre le Pire et le Mieux[197].

---

195. *Un ceste* : gantelet de cuir et de plomb qu'utilisaient les gladiateurs. Ce mot suffit à indiquer que la tentative du *plus beau d'entre tous ces mauvais anges* est une lutte, un combat ; **196.** Manifestation de la volonté d'absolu du jeune homme « diabolique » ; **197.** Le jeune poète rêve de forcer les portes d'un Eden où l'on verrait « enterré dans l'ombre l'arbre du bien et du mal ». Ce désir de voir enfin confondus le Bien et le Mal était déjà apparu chez Vigny (dans *Eloa*) : « Bientôt, dans un mépris égal, se confondront pour nous et le Bien et le Mal. » Nietzsche (dans *Par-delà le bien et le mal*) définit magistralement la nécessité philosophique de cette nouvelle morale pour une humanité arrivée à maturité.

Verlaine et Rimbaud à Londres (1872).

Dessin de Félix Regamey.

Phot. Giraudon.

« Humilions, misérables que nous sommes,
« Tous nos élans dans le plus simple des vœux.

45 « Ô vous tous, ô nous tous, ô les pécheurs tristes,
« Ô les gais Saints ! Pourquoi ce schisme têtu ?
« Que n'avons-nous fait, en habiles artistes,
« De nos travaux la seule et même vertu !

« Assez et trop de ces luttes trop égales !
50 « Il va falloir qu'enfin se rejoignent les[198]
« Sept Péchés aux Trois Vertus Théologales[199] !
« Assez et trop de ces combats durs et laids !

« Et pour réponse à Jésus qui crut bien faire
« En maintenant l'équilibre de ce duel,
55 « Par moi l'Enfer dont c'est ici le repaire
« Se sacrifie à l'Amour universel ! »

La torche tombe de sa main éployée,
Et l'incendie alors hurla s'élevant,
Querelle énorme d'aigles rouges noyée
60 Au remous noir de la fumée et du vent.

L'or fond et coule à flots et le marbre éclate ;
C'est un brasier tout splendeur et tout ardeur ;
La soie en courts frissons comme de l'ouate
Vole à flocons tout ardeur et tout splendeur.

65 Et les Satans mourants chantaient dans les flammes,
Ayant compris, comme ils s'étaient résignés !
Et de beaux chœurs de voix d'hommes et de femmes
Montaient parmi l'ouragan des bruits ignés.

Et lui, les bras croisés d'une sorte fière,
70 Les yeux au ciel où le feu monte en léchant,
Il dit tout bas une espèce de prière,
Qui va mourir dans l'allégresse du chant.

---

198. Notez le défaut de la rime (seulement visuelle et posée en « cheville ») ;
199. Il s'agit des sept péchés capitaux (l'orgueil, l'envie, l'avarice, la gourmandise, la luxure, la paresse et la colère) et des trois vertus théologales (la foi, l'espérance et la charité).

Il dit tout bas une espèce de prière,
Les yeux au ciel où le feu monte en léchant...[200]
75 Quand retentit un affreux coup de tonnerre,
Et c'est la fin de l'allégresse et du chant.

On n'avait pas agréé le sacrifice :
Quelqu'un de fort et de juste assurément
Sans peine avait su démêler la malice
80 Et l'artifice en un orgueil qui se ment[201].

Et du palais aux cent tours aucun vestige,
Rien ne resta dans ce désastre inouï,
Afin que par le plus effrayant prodige
Ceci ne fût qu'un vain rêve évanoui...

85 Et c'est la nuit, la nuit bleue aux mille étoiles;
Une campagne évangélique s'étend,
Sévère et douce, et, vagues comme des voiles,
Les branches d'arbres ont l'air d'ailes s'agitant.

De froids ruisseaux courent sur un lit de pierre;
90 Les doux hiboux nagent vaguement dans l'air
Tout embaumé de mystère et de prière;
Parfois un flot qui saute lance un éclair;

La forme molle au loin monte des collines
Comme un amour encore mal défini,
95 Et le brouillard qui s'essore des ravines
Semble un effort vers quelque but réuni.

Et tout cela comme un cœur et comme une âme,
Et comme un verbe, et d'un amour virginal,
Adore, s'ouvre en une extase et réclame
100 Le Dieu clément qui nous gardera du mal[202].

---

200. Répétition du troisième et du second vers de la strophe précédente, procédé qui ajoute à la brutalité des événements qui vont suivre; **201.** Le vain orgueil de rêver de devenir Dieu; **202.** Ce poème philosophique est unique dans l'œuvre verlainienne. L'allégorie y prend des proportions fantastiques; elle est soutenue, quant à la forme, par des images typiquement baudelairiennes (palais, soieries, ors, ombres sataniques), mais exprimée en vers de onze pieds (hendécasyllabes), mètre rare et difficile. André Gide rangeait cette pièce au nombre des « plus étrangement parfaites » qu'ait écrites Verlaine, tandis que celui-ci en 1881 regardait *Crimen Amoris* comme « tout à fait mauvais et mal chrétien »; ce qui ne le retint tout de même pas de le publier trois ans plus tard.

L'IMPÉNITENCE FINALE[203]

À Catulle Mendès[204].

La petite marquise Osine est toute belle,
Elle pourrait aller grossir la ribambelle
Des folles de Watteau sous leur chapeau de fleurs
Et de soleil, mais, comme on dit, elle aime ailleurs.
5 Parisienne en tout, spirituelle et bonne
Et mauvaise à ne rien redouter de personne,
Avec cet air mi-faux qui fait que l'on vous croit,
C'est un ange fait pour le monde qu'elle voit,
Un ange blond, et même on dit qu'il a des ailes.

10 Vingt soupirants, brûlés du feu des meilleurs zèles,
Avaient en vain quêté leur main à ses seize ans,
Quand le pauvre marquis, quittant ses paysans
Comme il avait quitté son escadron, vint faire
Escale au Jockey; vous connaissez son affaire
15 Avec la grosse Emma de qui — l'eussions-nous cru? —
Le bon garçon était absolument féru;
Son désespoir après le départ de la grue,
Le duel avec Gontran, c'est vieux comme la rue[205];
Bref, il vit la petite un jour dans un salon,
20 S'en éprit tout d'un coup comme un fou; même l'on
Dit qu'il en oublia si bien son infidèle
Qu'on le voyait le jour d'ensuite avec Adèle.
Temps et mœurs! La petite (on sait tout aux Oiseaux)[206]
Connaissait le roman du cher, et jusques aux
25 Moindres chapitres : elle en conçut de l'estime.
Aussi quand le marquis offrit sa légitime[207]
Et sa main contre sa menotte, elle dit : oui,
Avec un franc parler d'allégresse inouï.
Les parents, voyant sans horreur ce mariage
30 (Le marquis était riche et pouvait passer sage),
Signèrent un contrat avec laisser-aller.

---

203. Publié dans *Lutèce* en septembre 1884; écrit en prison (août 1873). Le titre primitif était « l'Impénitence finale, chronique parisienne ». On appelle « impénitence finale » le refus qu'oppose un mourant aux saints sacrements; **204.** *Catulle Mendès* : poète et romancier parnassien (1841-1909); ami de jeunesse de Verlaine; **205.** *C'est vieux comme la rue* : expression un peu vulgaire; **206.** *Le couvent des Oiseaux* : célèbre maison d'éducation tenue par les sœurs de Notre-Dame et que fréquentaient traditionnellement les jeunes filles de bonne famille; **207.** *Sa légitime* : autre tournure populaire pour désigner une proposition de mariage.

Elle qui voyait là quelqu'un à consoler
Ouït la messe dans une ferveur profonde.

Elle le consola deux ans. Deux ans du monde !

35 Mais tout passe !
            Si bien qu'un jour qu'elle attendait
Un autre et que cet autre atrocement tardait,
De dépit la voilà soudain qui s'agenouille
Devant l'image d'une Vierge à la quenouille
Qui se trouvait là, dans cette chambre en garni[208],
40 Demandant à Marie, en un trouble infini,
Pardon de son péché si grand, si cher encore
Bien qu'elle croie au fond du cœur qu'elle l'abhorre.

Comme elle relevait son front d'entre ses mains,
Elle vit Jésus-Christ avec les traits humains
45 Et les habits qu'il a dans les tableaux d'église.
Sévère, il regardait tristement la marquise.
La vision flottait blanche dans un jour bleu
Dont les ondes, voilant l'apparence du lieu,
Semblaient envelopper d'une atmosphère élue
50 Osine qui tremblait d'extase irrésolue
Et qui balbutiait des exclamations.
Des accords assoupis de harpes de Sions[209]
Célestes descendaient et montaient par la chambre,
Et des parfums d'encens, de cinnamome et d'ambre
55 Fluaient, et le parquet retentissait des pas
Mystérieux de pieds que l'on ne voyait pas,
Tandis qu'autour c'était, en cadences soyeuses,
Un grand frémissement d'ailes mystérieuses.
La marquise restait à genoux, attendant,
60 Toute admiration peureuse, cependant.

Et le Sauveur parla :

            « Ma fille, le temps passe,
Et ce n'est pas toujours le moment de la grâce :

---

208. *En garni :* meublé (garni de meubles) ; **209.** *Sion :* petite montagne proche de Jérusalem ; allusion aux psaumes que le roi David chantait du haut de ce mont en s'accompagnant de la harpe. Verlaine orthographie Sion avec un *s* pour la rime visuelle avec le vers précédent.

Profitez de cette heure, ou c'en est fait de vous. »

La vision cessa.

　　　　　　　　Oui certes, il est doux,

65　Le roman d'un premier amant. L'âme s'essaie,
　　C'est un jeune coureur à la première haie.
　　C'est si mignard qu'on croit à peine que c'est mal.
　　Quelque chose d'étonnamment matutinal[210].

　　On sort du mariage habitueux[211]. C'est comme
70　Qui dirait[212] la lueur aurorale de l'homme
　　Et les baisers parmi cette fraîche clarté
　　Sonnent comme des cris d'alouette en été.
　　Ô le premier amant ! Souvenez-vous, mesdames !
　　Vagissant et timide élancement des âmes
75　Vers le fruit défendu qu'un soupir révéla...
　　Mais le second amant d'une femme, voilà !
　　On a tout su. La faute est bien délibérée
　　Et c'est bien un nouvel état que l'on se crée,
　　Un autre mariage à soi-même avoué.
80　Plus de retour possible au foyer bafoué.
　　Le mari, débonnaire ou non, fait bonne garde
　　Et dissimule mal. Déjà rit et bavarde
　　Le monde hostile et qui sévirait au besoin.
　　Ah, que l'aise de l'autre intrigue se fait loin !
85　Mais aussi, cette fois, comme on vit, comme on aime !
　　Tout le cœur est éclos en une fleur suprême.
　　Ah, c'est bon ! Et l'on jette à ce feu tout remords,
　　On ne vit que pour *lui*, tous autres soins sont morts,
　　On est à lui, on n'est qu'à lui, c'est pour la vie,
90　Ce sera pour après la vie, et l'on défie
　　Les lois humaines et divines, car on est
　　Folle de corps et d'âme, et l'on ne reconnaît
　　Plus rien, et l'on ne sait plus rien, sinon qu'on l'aime !

　　Or, cet amant était justement le deuxième
95　De la marquise, ce qui fait qu'un jour après

---

210. *Matutinal* : autre forme de l'adjectif *matinal*; **211.** *Mariage habitueux* : heureux néologisme forgé par Verlaine ; le mariage devient une habitude qui en donne d'autres...; **212.** *Comme qui dirait* : expression familière et relâchée.

— Ô sans malice et presque avec quelques regrets —
Elle le revoyait pour le revoir encore.
Quant au miracle, comme une odeur s'évapore,
Elle n'y pensa plus bientôt que vaguement.

100 Un matin, elle était dans son jardin charmant,
Un matin de printemps, un jardin de plaisance.
Les fleurs vraiment semblaient saluer sa présence
Et frémissaient au vent léger, et s'inclinaient,
Et les feuillages, verts tendrement, lui donnaient
105 L'aubade d'un timide et délicat ramage,
Et les petits oiseaux, volant à son passage,
Pépiaient à plaisir dans l'air tout embaumé
Des feuilles, des bourgeons et des gommes de mai.
Elle pensait à *lui,* sa vue errait, distraite,
110 A travers l'ombre jeune et la pompe discrète
D'un grand rosier bercé d'un mouvement câlin,
Quand elle vit Jésus en vêtement de lin
Qui marchait, écartant les branches de l'arbuste,
Et la couvait d'un long regard triste. Et le Juste
115 Pleurait. Et tout en un instant s'évanouit.
Elle se recueillait...
                            Soudain, un petit bruit
Se fit. On lui portait en secret une lettre,
Une lettre de *lui,* qui lui marquait peut-être
Un rendez-vous.
                            Elle ne put la déchirer.

. . . .

120 Marquis, pauvre marquis, qu'avez-vous à pleurer
Au chevet de ce lit de blanche mousseline ?
Elle est malade, bien malade.
                            « Sœur Aline,
A-t-elle un peu dormi ?
                            — « Mal, monsieur le marquis. »
Et le marquis pleurait.
                            — « Elle est ainsi depuis
125 « Deux heures, somnolente et calme. Mais que dire
« De la nuit ? Ah ! monsieur le marquis, quel délire !
« Elle vous appelait, vous demandait pardon
« Sans cesse, encor, toujours, et tirait le cordon

« De sa sonnette. »

Et le marquis frappait sa tête

130 De ses deux poings et, fou dans sa douleur muette,
Marchait à grands pas sourds sur les tapis épais.
(Dès qu'elle fut malade elle n'eut pas de paix
Qu'elle n'eût avoué ses fautes au pauvre homme
Qui pardonna.) La sœur reprit, pâle : « Elle eut comme

135 « Un rêve, un rêve affreux. Elle voyait Jésus,
« Terrible sur la nue et qui marchait dessus,
« Un glaive dans la main droite, et de la main gauche,
« Qui ramait lentement, comme une faulx qui fauche,
« Écartant sa prière, et passait furieux. »

. . . .

140 Un prêtre, saluant les assistants des yeux,
Entre.

Elle dort.

Ô ses paupières violettes !

Ô ses petites mains qui tremblent, maigrelettes !
Ô tout son corps perdu dans les draps étouffants !
Regardez, elle meurt de la mort des enfants.

145 Et le prêtre anxieux se penche à son oreille.
Elle s'agite un peu, la voilà qui s'éveille,
Elle voudrait parler, la voilà qui s'endort
Plus pâle.

Et le marquis : « Est-ce déjà la mort ? »

Et le docteur lui prend les deux mains, et sort vite.

150 On l'enterrait hier matin. Pauvre petite ! **(19)**

QUESTIONS

19. Vers 3. Que comprenez-vous par ces *folles de Watteau* ?
— Quelle valeur attribuez-vous aux lignes de points de suspension ?
— Étudiez la découpe de ce poème.
— La complexité psychologique du narrateur : *a)* quels sont les sentiments de Verlaine pour la jeune marquise ; *b)* dégagez les intentions mystiques.

AMOUREUSE DU DIABLE[213]

À Stéphane Mallarmé.

Il parle italien avec un accent russe.
Il dit : « Chère, il serait précieux que je fusse
« Riche, et seul, tout demain et tout après-demain,
« Mais riche à paver d'or monnayé[214] le chemin
5 « De l'Enfer, et si seul qu'il vous va falloir prendre
« Sur vous de m'oublier jusqu'à ne plus entendre
« Parler de moi sans vous dire de bonne foi :
« Qu'est-ce que ce monsieur Félice ? Il vend de quoi[215] ? »

Cela s'adresse à la plus blanche des comtesses.

10 Hélas ! toute grandeurs, toute délicatesses,
Cœur d'or, comme l'on dit, âme de diamant,
Riche, belle, un mari magnifique et charmant
Qui lui réalisait toute chose rêvée.
Adorée, adorable, une Heureuse, la Fée,
15 La Reine, aussi la Sainte, elle était tout cela,
Elle avait tout cela.
     Cet homme vint, vola
Son cœur, son âme, en fit sa maîtresse et sa chose
Et ce que la voilà dans ce doux peignoir rose
Avec ses cheveux d'or épars comme du feu,
20 Assise, et ses grands yeux d'azur tristes un peu.

Ce fut une banale et terrible aventure.
Elle quitta de nuit l'hôtel. Une voiture
Attendait. Lui dedans. Ils restèrent six mois
Sans que personne sût où ni comment. Parfois
25 On les disait partis à toujours[216]. Le scandale
Fut affreux. Cette allure était par trop brutale
Aussi pour que le monde ainsi mis en défi
N'eût pas frémi d'une ire énorme et poursuivi
De ses langues les plus agiles l'insensée.

---

213. Publié dans *la Nouvelle Rive gauche* en mars 1883 ; écrit en prison en août 1874 ; **214.** *D'or monnayé :* de pièces de monnaie en or ; **215.** Remarquez comme la nécessité de la rime conduit Verlaine à relâcher le style de son interrogation (cheville) : *Il vend de quoi ?* (= Que vend-il ?) ; **216.** *Partis à toujours :* très belle tournure construite sur le modèle d' « à jamais » (qui signifie, précisément, « à pour toujours »).

30 Elle, que lui faisait? Toute à cette pensée,
   Lui, rien que *lui*, longtemps avant qu'elle s'enfuît,
   Ayant réalisé son avoir (sept ou huit
   Millions en billets de mille qu'on liasse
   Ne pèsent pas beaucoup et tiennent peu de place),
35 Elle avait tassé tout dans un coffret mignon
   Et, le jour du départ, lorsque son compagnon,
   Dont du rhum bu de trop rendait la voix plus tendre,
   L'interrogea sur ce colis qu'il voyait pendre
   A son bras qui se lasse, elle répondit : « Ça,
40 C'est notre bourse. »

              Ô tout ce qui se dépensa!
   Il n'avait rien que sa beauté problématique
   (D'autant pire) et que cet esprit dont il se pique
   Et dont nous parlerons, comme de sa beauté,
   Quand il faudra... Mais quel bourreau d'argent! Prêté,
45 Gagné, volé! Car il volait à sa manière,
   Excessive, partant respectable en dernière
   Analyse, et d'ailleurs respectée, et c'était
   Prodigieux la vie énorme qu'il menait
   Quand au bout de six mois ils revinrent.

                           Le coffre
50 Aux millions (dont plus que quatre) est là qui s'offre
   A sa main. Et pourtant cette fois — une fois
   N'est pas coutume — il a gargarisé sa voix
   Et remplacé son geste ordinaire de prendre
   Sans demander, par ce que nous venons d'entendre.
55 Elle s'étonne avec douceur et dit : « Prends tout
   « Si tu veux. »

             Il prend tout et sort.

                           Un mauvais goût
   Qui n'avait de pareil que sa désinvolture
   Semblait pétrir le fond même de sa nature,
   Et dans ses moindres mots, dans ses moindres clins d'yeux,
60 Faisait luire et vibrer comme un charme odieux.
   Ses cheveux noirs étaient trop bouclés pour un homme.
   Ses yeux très grands, très verts, luisaient comme à Sodome.
   Dans sa voix claire et lente, un serpent s'avançait,
   Et sa tenue était de celles que l'on sait :
65 Du vernis, du velours, trop de linge, et des bagues.

D'antécédents, il en avait de vraiment vagues
Ou, pour mieux dire, pas. Il parut un beau soir,
L'autre hiver, à Paris, sans qu'aucun pût savoir
D'où venait ce petit monsieur, fort bien du reste
70 Dans son genre et dans son outrecuidance leste.
Il fit rage, eut des duels célèbres et causa
Des morts de femmes par amour dont on causa.
Comment il vint à bout de la chère comtesse,
Par quel philtre ce gnome insuffisant qui laisse
75 Une odeur de cheval et de femme après lui
A-t-il fait d'elle cette fille d'aujourd'hui?
Ah! ça, c'est le secret perpétuel que berce
Le sang des dames dans son plus joli commerce,
A moins que ce ne soit celui du DIABLE aussi.
80 Toujours est-il que quand le tour eut réussi
Ce fut du propre!

            Absent souvent trois jours sur quatre,
Il rentrait ivre, assez lâche et vil pour la battre,
Et quand il voulait bien rester près d'elle un peu,
Il la martyrisait, en manière de jeu,
85 Par l'étalage de doctrines impossibles.

. . . .

« Mia[217], je ne suis pas d'entre les irascibles,
« Je suis le doux par excellence, mais tenez,
« Ça m'exaspère, et je le dis à votre nez,
« Quand je vous vois l'œil blanc et la lèvre pincée,
90 « Avec je ne sais quoi d'étroit dans la pensée,
« Parce que je reviens un peu soûl quelquefois.
« Vraiment en seriez-vous à croire que je bois
« Pour boire, pour licher, comme vous autres chattes,
« Avec vos vins sucrés dans vos verres à pattes,
95 « Et que l'Ivrogne est une forme du Gourmand?
« Alors l'instinct qui vous dit ça ment plaisamment
« Et d'y prêter l'oreille un instant, quel dommage!
« Dites, dans un bon Dieu de bois, est-ce l'image
« Que vous voyez et vers qui vos vœux vont monter?
100 « L'Eucharistie est-elle un pain à cacheter
« Pur et simple, et l'amant d'une femme, si j'ose
« Parler ainsi, consiste-t-il en cette chose

---

217. *Mia* : mot italien signifiant « mienne » ; sous-entendu *cara mia*, « ma chère ».

« Unique d'un monsieur qui n'est pas son mari
« Et se voit de ce chef tout spécial chéri?
105 « Ah, si je bois, c'est pour me soûler, non pour boire.
« Être soûl, vous ne savez pas quelle victoire
« C'est qu'on remporte sur la vie, et quel don c'est!
« On oublie, on revoit, on ignore et l'on sait;
« C'est des mystères pleins d'aperçus, c'est du rêve
110 « Qui n'a jamais eu de naissance et ne s'achève
« Pas, et ne se meut pas dans l'essence d'ici;
« C'est une espèce d'autre vie en raccourci,
« Un espoir actuel, un regret qui « rapplique »,
« Que sais-je encore? Et quant à la rumeur publique,
115 « Au préjugé qui hue un homme dans ce cas,
« C'est hideux, parce que bête, et je ne plains pas
« Ceux ou celles qu'il bat à travers son extase,
« Ô que nenni! »

· ·

« Voyons, l'amour, c'est une phrase
« Sous un mot, — avouez, un écoute-s'il-pleut[218],
120 « Un calembour dont un chacun prend ce qu'il veut,
« Un peu de plaisir fin, beaucoup de grosse joie,
« Selon le plus ou moins de moyens qu'il emploie,
« Ou pour mieux dire, au gré de son tempérament,
« Mais, entre nous, le temps qu'on y perd! Et comment!
125 « Vrai, c'est honteux que des personnes sérieuses
« Comme nous deux, avec ces vertus précieuses
« Que nous avons, du cœur, de l'esprit, — de l'argent,
« Dans un siècle que l'on peut dire intelligent,
« Aillent!... »

· ·

Ainsi de suite, et sa fade ironie
130 N'épargnait rien de rien dans sa blague infinie.
Elle écoutait le tout avec les yeux baissés
Des cœurs aimants à qui tous torts sont effacés,
Hélas!
L'après-demain et le demain se passent.

----

218. *Un écoute-s'il-pleut* : se dit de ce qui est douteux, incertain. C'est dans
ce sens figuré que Verlaine emploie ce mot charmant. Au sens propre, il désigne
un moulin que n'alimentent que des eaux en crue.

Il rentre et dit : « *Altro*[219] ! que voulez-vous que fassent
135 « Quatre pauvres petits millions contre un sort ?
« Ruinés, ruinés, je vous dis ! C'est la mort
« Dans l'âme que je vous le dis. »
                     Elle frissonne
Un peu, mais *sait* que c'est arrivé.
                            — « Ça, personne,
« Même vous, *diletta*[220], ne me croit assez sot
140 « Pour demeurer ici dedans le temps d'un saut
« De puce. »
               Elle pâlit très fort et frémit presque,
Et dit : « Va, je sais tout. » — « Alors c'est trop grotesque
Et vous jouez là sans atouts avec le feu. »
— « Qui dit non ? » — « Mais JE SUIS SPÉCIAL à ce jeu. »
145 — « Mais si je veux, exclame-t-elle, être damnée ? »
— « C'est différent, arrange ainsi ta destinée.
Moi, je sors. » — « Avec moi ! » — « Je ne puis *aujourd'hui*. »
Il a disparu sans autre trace de lui
Qu'une odeur de soufre et qu'un aigre éclat de rire.
150 Elle tire un petit couteau.
                       Le temps de luire
Et la lame est entrée à deux lignes[221] du cœur.
Le temps de dire, en renfonçant l'acier vainqueur :
« A toi, je t'aime ! » et la JUSTICE la recense.

Elle ne savait pas que l'Enfer c'est l'absence.

---

219. Mot italien signifiant « autre » ; le sens ici est « eh bien ! » (= eh bien, quoi d'autre...) ; **220.** Mot italien signifiant « délicieuse » (très chère) ; **221.** *A deux lignes* : la ligne est une ancienne unité de mesure de précision, encore utilisée en imprimerie et en horlogerie ; on compte 12 points dans une ligne et 12 lignes dans un pouce.

PARALLÈLEMENT

Pour Verlaine, parallèlement à Dieu il y a l'enfer. L'érotisme discret qui se dégage de ce recueil (1889) n'est en fait qu'un prétexte à l'oubli. Le poète roule et tangue sur l'abyssale réalité d'un monde madré en malédiction. Son audace au niveau de la thématique constitue son Dieu à rebours en même temps qu'un masque mal posé sur son cœur triste.

DÉDICACE[222]

Vous souvient-il, cocodette[223] un peu mûre
Qui gobergez vos flemmes de bourgeoise,
Du temps joli quand, gamine un peu sure[224],
Tu m'écoutais, blanc-bec fou qui dégoise ?

5 Gardâtes-vous fidèle la mémoire,
Ô grasse en des jerseys de poult-de-soie[225],
De t'être plu jadis à mon grimoire,
Cour par écrit, postale petite oye[226] ?

Avez-vous oublié, Madame Mère,
10 Non, n'est-ce pas, même en vos bêtes fêtes,
Mes fautes de goût, mais non de grammaire,
Au rebours de tes chères lettres bêtes ?

Et quand sonna l'heure des justes noces,
Sorte d'Ariane qu'on me dit lourde,
15 Mes yeux gourmands et mes baisers féroces
A tes nennis faisant l'oreille sourde[227] ?

---

222. Bien que la dédicataire ne soit pas nommée, c'est de Mathilde qu'il s'agit. Le poète solde ici, sans beaucoup de dignité ni d'élégance, un compte ancien. Ce poème fut écrit en 1887. Le titre en était d'abord « les Vous et les Tu », par emprunt à l'*Epître XXXIII* de Voltaire. En effet, Verlaine fait alterner le voussoiement des amants séparés et hostiles, et le tutoiement du temps de leur intimité ; 223. *Cocodette* : pendant féminin du cocodès, variété d'élégant oisif et plastronnant qui faisait fureur dans la jeunesse dorée du second Empire ; 224. *Un peu sure* : un peu acide. La rime avec *mûre* est légèrement défectueuse ; le *u* accentué étant plus appuyé que celui de sure ; 225. *Le poult-de-soie* est une variété de soierie rugueuse ; 226. *Petite oye* (= petite oie) désigne les gants, chapeau et châle qui complètent la toilette d'une femme. Au sens figuré, ce mot composé, employé au singulier, sert à évoquer les attentions, les privautés, les faveurs qu'une femme peut accorder à un homme sans lui céder ; 227. Allusion aux rapports de Verlaine et de sa femme : Verlaine semble avoir usé d'une autorité peut-être un peu brutale qui pourrait expliquer (malgré le dernier vers de la strophe suivante) la facilité avec laquelle Mathilde se détacha de son mari par la suite.

Affiche de Grün pour le Chat-Noir.
Paris, Bibliothèque nationale.

Phot. Larousse.

Rappelez-vous aussi, s'il est loisible
A votre cœur de veuve mal morose,
Ce moi toujours tout prêt, terrible, horrible,
20 Ce toi mignon prenant goût à la chose,

Et tout le train, tout l'entrain d'un manège
Qui par malheur devint notre ménage[228].
Que n'avez-vous, en ces jours-là, que n'ai-je
Compris les torts de votre et de mon âge !

25 C'est bien fâcheux : me voici, lamentable
Épave éparse à tous les flots du vice,
Vous voici, toi, coquine détestable,
Et ceci fallait que je l'écrivisse !

FILLES

III

CASTA PIANA[229]

Tes cheveux bleus aux dessous roux,
Tes yeux très durs qui sont trop doux,
Ta beauté qui n'en est pas une,
Tes seins que busqua, que musqua
5 Un diable cruel et jusqu'à
Ta pâleur volée à la lune,

Nous ont mis dans tous nos états,
Notre-Dame du galetas
Que l'on vénère avec des cierges
10 Non bénits, les Ave non plus
Récités lors des angélus
Que sonnent tant d'heures peu vierges.

Et vraiment tu sens le fagot :
Tu tournes un homme en nigaud,

---

228. Admirez le jeu de mots à la rime ; **229.** Publié partiellement dans *le Gil Blas illustré* en juin 1891, sous le titre « N. D. du Galetas ». *Casta piana* sont des mots italiens, au premier sens : « calme, chaste » (?). J. Robichez (*Œuvres poétiques de Verlaine,* page 685) assure qu'en argot *casta piana* signifie « blennorragie », ce que semble confirmer l'allusion aux « sacrés baumes poivrés ».

15   En chiffre, en symbole, en un souffle,
Le temps de dire ou de faire oui,
Le temps d'un bonjour ébloui,
Le temps de baiser ta pantoufle.

Terrible lieu, ton galetas!
20   On t'y prend toujours sur le tas
A démolir quelque maroufle,
Et, décanillés, ces amants,
Munis de tous leurs sacrements,
T'y penses moins qu'à ta pantoufle!

25   T'as raison! Aime-moi donc mieux
Que tous ces jeunes et ces vieux
Qui ne savent pas la manière,
Moi qui suis dans ton mouvement,
Moi qui connais le boniment
30   Et te voue une cour plénière!

Ne fronce plus ces sourcils-ci,
Casta, ni cette bouche-ci,
Laisse-moi puiser tous tes baumes,
Piana, sucrés, salés, poivrés,
35   Et laisse-moi boire, poivrés,
Salés, sucrés, tes sacrés baumes!

A MADEMOISELLE***[230]

Rustique beauté
Qu'on a dans les coins,
Tu sens bon les foins,
La chair et l'été.

5   Tes trente-deux dents
De jeune animal
Ne vont point trop mal
A tes yeux ardents.

Ton corps dépravant
10   Sous tes habits courts,

---

230. Publié dans *la Cravache* en décembre 1888.

— Retroussés et lourds,
Tes seins en avant,
Tes mollets farauds,
Ton buste tentant,
15   — Gai, comme impudent,
Ton cul ferme et gros,

Nous boutent au sang
Un feu bête et doux
Qui nous rend tout fous,
20   Croupe, rein et flanc.

Le petit vacher
Tout fier de son cas[231],
Le maître et ses gas[232],
Les gas du berger,

25   Je meurs si je mens,
Je les trouve heureux,
Tous ces culs-terreux,
D'être tes amants. **(20)**

A MADAME***[233]

Vos narines qui vont en l'air,
Non loin de deux beaux yeux quelconques,
Sont mignonnes comme ces conques
Du bord de mer des bains de mer ;

5   Un sourire moins franc qu'aimable
Découvre de petites dents,
Diminutifs outrecuidants
De celles d'un loup de la fable ;

---

231. De sa virilité ; **232.** Apocope du *r* pour la rime visuelle avec *cas* ;
233. Cette dame dont il « ne sait plus le nom », c'est probablement Mathilde,
devenue Mme Delporte.

──────── **QUESTIONS** ────────

20. Analysez les sentiments contradictoires qui ont présidé à l'écriture de ce poème : *a)* l'inspiratrice n'est-elle qu'une fille-objet ?
b) décèle-t-on des intentions misogynes ? *c)* Verlaine nous offre-t-il une
fresque qui tombe d'équerre avec sa sensibilité champêtre ?

Bien en chair, lente avec du chien,
On remarque votre personne,
Et votre voix fine résonne
Non sans des agréments très bien;

De la grâce externe et légère
Et qui me laissait plutôt coi
Font de vous un morceau de roi,
Ô constitutionnel, chère!

Toujours est-il, regret ou non,
Que je ne sais pourquoi mon âme
Par ces froids pense à vous, Madame
De qui je ne sais plus le nom. **(21)**

RÉVÉRENCE PARLER

AUTRE[234]

La cour se fleurit de souci
        Comme le front
        De tous ceux-ci
        Qui vont en rond
En flageolant sur leur fémur
        Débilité
        Le long du mur
        Fou de clarté.

Tournez, Samsons sans Dalila,
        Sans Philistin,
        Tournez bien la
        Meule au destin.

---

234. Publié en octobre 1885 dans *Lutèce*; écrit en prison (juillet 1873). C'est une complainte sur les misères de la vie carcérale et sur la promenade circulaire dans la cour de la prison.

--- **QUESTIONS** ---

21. L'importance des *beaux yeux quelconques* (vers 2) de l'égérie du poète.
— Comparez l'attitude de Verlaine : *a)* avec la Dame; *b)* avec la Demoiselle (cf. poème précédent).
— Que comprenez-vous par *constitutionnel?*

Vaincu risible de la loi,
Mouds tour à tour
15   Ton cœur, ta foi
Et ton amour!

Ils vont! et leurs pauvres souliers
Font un bruit sec,
Humiliés,
20   La pipe au bec.
Pas un mot ou bien le cachot,
Pas un soupir.
Il fait si chaud
Qu'on croit mourir.

25   J'en suis de ce cirque effaré,
Soumis d'ailleurs
Et préparé
A tous malheurs.
Et pourquoi si j'ai contristé
30   Ton vœu têtu,
Société,
Me choierais-tu?

Allons, frères, bons vieux voleurs,
Doux vagabonds,
35   Filous en fleurs,
Mes chers, mes bons,
Fumons philosophiquement[235],
Promenons-nous
Paisiblement :
40   Rien faire est doux[236].

---

235. Métaphore exprimant l'action de vidanger les tinettes sur un terrain contigu à la cour; **236.** Verlaine avait communiqué à son ami Lepelletier ce poème dans une lettre datée d'octobre 1873. En novembre 1873, Germain Nouveau fit paraître un poème, « les Chercheurs », dont la contexture est très semblable à la disposition et au rythme de *Autre*. On a pensé à une influence, les deux hommes s'étant fréquentés. Mais il semble que ce ne soit qu'une coïncidence.

LUNES

NOUVELLES VARIATIONS

SUR LE POINT DU JOUR[237]

Le Point du Jour, le point blanc de Paris,
Le seul point blanc, grâce à tant de bâtisse
Et neuve et laide et que je t'en ratisse,
Le Point du Jour, aurore des paris !

5   Le bonneteau fleurit « dessur » la berge,
La bonne tôt s'y déprave, tant pis
Pour elle et tant mieux pour le birbe gris
Qui lui du moins la croit encore vierge.

Il a raison le vieux, car voyez donc
10   Comme est joli toujours le paysage :
Paris au loin, triste et gai, fol et sage,
Et le Trocadéro, ce cas, au fond,

Puis la verdure et le ciel et les types
Et la rivière obscène et molle, avec
15   Des gens trop beaux, leur cigare à leur bec :
Épatants ces metteurs-au-vent de tripes ! **(22)**

PIERROT GAMIN[238]

Ce n'est pas Pierrot en herbe
Non plus que Pierrot en gerbe,

---

237. Publié dans *Lutèce* en décembre 1885. Il s'agit de *nouvelles variations,*
parce que le poète consacra précédemment une autre pièce à ce lieu-dit que
fréquentait la tourbe de la banlieue ouest de Paris (voir les notes de « l'Aube
à l'envers »). Tout le poème est imprégné d'une vulgarité que nimbe à peine
le ton poétique un peu mièvre, mais qu'accentuent singulièrement les termes
populaires ou argotiques (*le birbe, les types,* etc.) et les tournures très relâchées
(*grâce à* au lieu de *à cause de ; Il a raison le vieux, épatants,* etc.) ; **238.** Publié
dans *le Décadent* en septembre 1886. Ce gamin est le fils d'un logeur de Verlaine (cour Saint-François).

———— QUESTIONS ————

22. Que vous inspire Paris après la lecture de ce poème ?
— Sur Paris : établissez une anthologie thématique de 1850 à nos
jours.
— Avez-vous des remarques à formuler en ce qui concerne : *a)* la
rime ; *b)* le lexique ; *c)* le rythme ?

C'est Pierrot, Pierrot, Pierrot.
Pierrot gamin, Pierrot gosse,
5   Le cerneau[239] hors de la cosse,
C'est Pierrot, Pierrot, Pierrot !

Bien qu'un rien plus haut qu'un mètre[240],
Le mignon drôle sait mettre
Dans ses yeux l'éclair d'acier
10   Qui sied au subtil génie
De sa malice infinie
De poète-grimacier.

Lèvres rouge-de-blessure
Où sommeille la luxure,
15   Face pâle aux rictus fins,
Longue, très accentuée,
Qu'on dirait habituée
A contempler toutes fins,

Corps fluet et non pas maigre,
20   Voix de fille et non pas aigre,
Corps d'éphèbe en tout petit,
Voix de tête, corps en fête,
Créature toujours prête
A soûler chaque appétit.

25   Va, frère, va, camarade,
Fais le diable, bats l'estrade
Dans ton rêve et sur Paris
Et par le monde, et sois l'âme
Vile, haute, noble, infâme
30   De nos innocents esprits !

Grandis, car c'est la coutume,
Cube ta riche amertume[241],
Exagère ta gaieté,
Caricature, auréole,

---

239. *Cerneau* : nom de la noix avant sa maturité. Se dit également d'une jeune fille qui, sans être complètement formée, n'est plus une fillette. C'est par analogie avec ce dernier sens que Verlaine emploie ici le mot ; **240.** Charmante tournure populaire ; **241.** *Cube*, c'est-à-dire « triple-la ».

35   La grimace et le symbole
De notre simplicité !

BALLADE
DE LA MAUVAISE RÉPUTATION[242]

Il eut des temps quelques argents
Et régala ses camarades
D'un sexe ou deux[243], intelligents
Ou charmants, ou bien les deux grades,
5   Si que dans les esprits malades
Sa bonne réputation
Subit que de dégringolades !
Lucullus[244] ? Non. Trimalcion[245].

Sous ses lambris, c'étaient des chants
10   Et des paroles point trop fades.
Éros et Bacchos[246] indulgents
Présidaient à ces sérénades
Qu'accompagnaient des embrassades.
Puis chœurs et conversation
15   Cessaient pour des fins peu maussades.
Lucullus ? Non. Trimalcion.

L'aube pointait[247] et ces méchants
La saluaient par cent aubades
Qui réveillaient au loin les gens
20   De bien, et par mille rasades.

---

242. Publié dans *Lutèce* en décembre 1885 et dans *la Cravache* en mai 1888 ; **243.** C'est-à-dire de l'un ou de l'autre sexe ; **244.** *Lucullus* : célèbre général romain (109-57 av. J.-C.) qui, après avoir conquis l'Asie Mineure et châtié les collecteurs d'impôts dans les provinces romaines d'Asie, se retira dans la vie privée et ne s'occupa plus que de tenir table de festin dans un palais luxueux que fréquentaient poètes et artistes ; **245.** *Trimalcion* : personnage du *Satyricon* (roman latin attribué à Pétrone [Ier s. apr. J.-C.]). Trimalcion est un vieillard richissime et dépravé qui offre à ses amis un banquet agrémenté d'orgies particulièrement raffinées et obscènes. C'est à cet amphitryon-ci, plutôt qu'au vertueux Lucullus, que se compare Verlaine ; **246.** *Eros* : divinité grecque de l'amour charnel. *Bacchos* : divinité romaine (= Bacchus) et grecque (= Dionysos) du vin et de l'ivresse ; **247.** *L'aube pointait* : emploi fautif du verbe *pointer*. C'est le verbe *poindre* qui s'impose ici, car le sens est « l'aube commençait à paraître ». Ce genre de faute se rencontre assez couramment ; elle provient de la conjugaison à la troisième personne du singulier du présent « le jour point », ce qui entraîne la confusion chez certains esprits. Il fallait donc écrire : « L'aube poignait ».

Cependant de vagues brigades
— Zèle ou dénonciation? —
Verbalisaient chez les alcades.
Lucullus? Non. Trimalcion.

ENVOI

25   Prince, ô très haut marquis de Sade[248],
Un souris pour votre scion[249]
Fier derrière sa palissade.
Lucullus? Non. Trimalcion.

---

248. *Sade* : célèbre écrivain issu d'une vieille famille noble d'Avignon (1740-1814). Sa vie débauchée et ses livres licencieux lui valurent de passer près de trente années en forteresse. Il a laissé son nom à un genre de relation amoureuse essentiellement perverse : le sadisme; **249.** *Scion*. On s'est interrogé sur la nature de ce *scion* et sur le sens caché de cet *envoi*. Hommage aux tortures que pratiquait le marquis (*scion* désignait un couteau, dans l'argot du siècle passé)?

DÉDICACES

Sous le signe de la lassitude et de l'impuissance, Verlaine nous offre un fort volume de *Dédicaces*. Le poète fait ses gammes : histoire de ne pas perdre le métier ! Il pastiche pour s'amuser et chante faux avec le plus grand sérieux. Les rimes les plus douteuses affluent : *défense* et *Provence; veau* et *nouveau; cœur* et *vigueur;* etc. Les cent treize pièces qui constituent ce recueil sont adressées à des personnalités du monde des arts et des lettres de l'époque. Avec *Dédicaces* (41 textes dans l'édition de 1890 et 72 pièces qui viendront s'ajouter en 1894), plutôt que des marques d'amitié, Verlaine nous livre des écrits de circonstance dictés par la courtoisie.

PRÉFACE A LA PREMIÈRE ÉDITION

Ces quelques ballades et sonnets sont tout intimes et ne visent que quelques amis et bons camarades de l'auteur qui les leur *dédie* exclusivement sans autre intention que de leur plaire.

Tous ceux avec qui il sympathise ne sont pas sur cette carte
5 de visite; prière aux absents d'excuser ce qui n'est pas même de l'oubli. L'auteur voulait ceci très borné, un peu fermé même, et il s'est astreint à un cadre minuscule.

Le portrait qui précède a été fait l'été dernier à l'hôpital par un compagnon d'hôpital qui se trouvait être un dédicataire
10 du présent recueil. Merci à l'artiste et à l'ami des bons comme des mauvais jours.

Un tout petit nombre de sonnets a été pris, comme un bien qu'on trouve, dans le livre devenu rarissime, *Amour,* où il sera remplacé par des vers inédits.

15 Dont acte à qui de droit.

L'auteur, en cette circonstance, est semblable à un monsieur qui donnerait une poignée de main à une poignée d'amis, les chargeant de la porter en bon lieu.

XII

A GERMAIN NOUVEAU

Ce fut à Londres, ville où l'Anglaise domine,
Que nous nous sommes vus pour la première fois[250],

---

250. Cette rencontre eut lieu en juillet 1875.

Et, dans King's Cross mêlant ferrailles, pas et voix,
Reconnus dès l'abord sur notre bonne mine.

5   Puis, la soif nous creusant à fond comme une mine,
De nous précipiter, dès libres des convois,
Vers des bars attractifs comme les vieilles fois[251],
Où de longues misses plus blanches que l'hermine

Font couler l'ale et le bitter dans l'étain clair
10   Et le cristal chanteur et léger comme l'air,
— Et de boire sans soif à l'amitié future !

Notre toast a tenu sa promesse. Voici
Que, vieillis quelque peu depuis cette aventure,
Nous n'avons ni le cœur ni le coude transi. **(23)**

XXIV

A Louis et Jean Jullien[252]

Savantissimo Doctori
Bonissimoque Scriptori[253],
Au frère et puis encore au frère

5   Ce sonnet les jambes en l'air[254]
Qui commence à chanter son air
En pur latin de feu Molière !

Ce sonnet pour dire à tous deux
Sur un ton badin mais sincère

---

251. *Comme les vieilles fois* : comme autrefois ; 252. Publié dans *le Chat noir* en novembre 1889. Louis Jullien était le médecin de Verlaine. Il soigna le poète de façon désintéressée et il intervint plusieurs fois pour le faire hospitaliser. Jean Jullien, son frère, était un romancier aujourd'hui oublié ; 253. Adresse de la dédicace en latin, avec mention des titres des deux frères ; 254. Description plaisante de ce sonnet particulier.

--- **QUESTIONS** ---

23. Dégagez le rôle de Germain Nouveau dans la révolution poétique du XIXᵉ siècle.

— Pour le psychologue André Genest, « l'alcool développe ou réduit l'univers frustrant propre à chaque individu ; il favorise un compagnonnage de l'esprit qui révèle des êtres motivés par un idéal commun ». Souscrivez-vous à cette prise de position ?

Que je les aime bien et serre
10   Leurs loyales mains à tous deux.

Louis, malgré le sort contraire,
Salut à vous qui guérissez,
A vous aussi qui punissez[255]
L'ordre bourgeois, Jean, mon confrère.

XXXIX

QUATORZAIN POUR TOUS

Ô mes contemporains du sexe fort,
Je vous méprise et contemne point peu.
Même il en est que je déteste à mort
Et que je hais d'une haine de dieu.

5   Vous êtes laids, moi compris, au delà
De toute expression, et bêtes, moi
Compris, comme il n'est pas permis : c'est la
Pire peine à mon cœur et son émoi

De ne pouvoir être (ni vous non plus)
10   Intelligent et beau pour rire ainsi
Qu'il sied, du choix qui me rend cramoisi

Et pour pleurer que parmi tant d'élus
A faire, ces messieurs aient entre tous
Pris Brunetière[256]. Ô les topinambous[257] !

---

255. Allusion possible aux activités de critique littéraire de Jean Jullien ;
256. Publié dans *la Plume* en août 1893. C'est une satire spirituelle dirigée
contre l'élection de F. Brunetière à l'Académie. F. Brunetière (1846-1906),
célèbre critique, est l'auteur d'une *Histoire de la littérature française* (1880-
1882). Ses goûts et sa méthode de critique le conduisaient à négliger ou à
mépriser les œuvres du XIXe siècle, même les meilleures, au profit des auteurs
classiques français. Verlaine nourrissait contre lui une certaine hostilité. Brunetière eut pourtant le mérite tout « moderne » de tenter d'appliquer à la littérature les théories de l'évolutionnisme ; **257.** Verlaine renvoie lui-même à
l'épigramme *Sur l'Académie*, dans laquelle l'ombrageux Boileau ricanait :

J'ai traité de Topinamboux
Tous ces beaux censeurs, je l'avoue [...];

XL

Quatorzain pour toutes[258]

Ô femmes, je vous aime toutes, là, c'est dit !
N'allez pas me taxer d'audace ou d'imposture.
Raffolant de la blonde douce et de la dure
Brune et de la virginité bête un petit

5   Mais si gente et si prompte à se déniaiser,
Comme de l'alme maturité[259] (que vicieuse !
Mais susceptible d'un grand cœur et si joyeuse
D'un sourire et savourant, lente, un long baiser).

Toutes, oui, je vous aime, oui, femmes, je vous aime
10   — Excepté si par trop laides ou vieilles, dam !
Alors je vous vénère ou vous plains. Je vais même

Jusqu'à me voir féru, parfois à mon grand dam,
D'une inconnue un peu vulgaire, rencontrée
Au coin... non pas d'un bois sacré ! qui m'est sucrée[260].

LII

A une dame qui partait pour la Colombie[261]

Notre-Dame de Santa Fe de Bogota
Qui vous apprêtez à faire le tour du monde,
Or, mon émotion serait par trop profonde
Dans le chagrin réel dont mon cœur éclata

5   A la nouvelle de ce départ déplorable
Si je n'avais l'orgueil de vous avoir, à ta-[262]

---

258. Publié avec le précédent, bien que le contenu et la tenue en soient tout différents ; 259. *L'alme maturité* : la maturité bienfaisante, nourricière, généreuse. Le poète fait entendre que la toute jeune fille *prompte à se déniaiser* et la femme mûre lui plaisent également ; 260. Expression un peu triviale pour désigner une femme qui fait des manières ; 261. Publié dans *la Plume* en février 1896, environ un mois après la disparition du poète ; 262. Remarquez la hardiesse de la coupure du mot pour la rime ; procédé alors non reconnu à la poésie, mais qui commençait à se répandre (Corbière, Verlaine en d'autres pièces, etc.). Même chose au vers 13, avec cette licence supplémentaire que la voyelle ici s'amuït : *exquise* porte un accent dans le mot complet *exquisément*.

Ble d'hôte, vue ainsi que tel ou tel rasta[263]
Et de vous devoir ce sonnet point admirable

Hélas! assez, mais que voici de tout mon cœur
10 Tel que je l'ai conçu dans un rêve vainqueur
Dont, hélas! je reviens avec le bruit qui grise

D'un tambourin, bruyant sans doute mais gentil
D'être, grâce à votre talent de femme exquise-
Ment amusante, décoré d'un doigt subtil. **(24)**

LXII

A ARTHUR RIMBAUD

Mortel, ange ET démon[264], autant dire Rimbaud,
Tu mérites la prime place en ce mien livre,
Bien que tel sot grimaud t'ait traité de ribaud[265]
Imberbe et de monstre en herbe et de potache ivre.

5 Les spirales d'encens et les accords de luth
Signalent ton entrée au temple de mémoire
Et ton nom radieux chantera dans la gloire,
Parce que tu m'aimas ainsi qu'il le fallut.

Les femmes te verront grand jeune homme très fort,
10 Très beau d'une beauté paysanne et rusée,
Très désirable, d'une indolence qu'osée!

---

263. *Tel rasta :* abréviation péjorative de *rastaquouère*, terme très en vogue au siècle dernier pour désigner un personnage douteux et excentrique dont les origines, mal définies, se situent au sud des Pyrénées ou bien outre-Océan : au sud de l'Equateur. Le mot viendrait lui-même d'Amérique du Sud : *rastra-cuero*, « traîne-cuir »; **264.** Publié dans *le Chat noir* en août 1889. Le premier hémistiche du premier vers est emprunté à Lamartine :

Esprit mystérieux, mortel, ange ou démon.

Verlaine écrit en grosses lettres *ET* (et non *ou*) pour souligner la double nature de Rimbaud; **265.** *Ribaud :* personne aux mœurs déréglées.

--- **QUESTIONS** ---

24. Etudiez la modernité de la rupture des mots en bout de vers.
— Voyez-vous une contradiction dans l'accouplement des mots *rêve* et *vainqueur?*

L'histoire t'a sculpté triomphant de la mort
Et jusqu'aux purs excès jouissant de la vie,
Tes pieds blancs posés sur la tête de l'Envie! **(25)**

LXIX

A RAYMOND MAYGRIER[266]

> « ... L'histoire véridique
> De la langouste atmosphérique. »
> (L'ŒIL CREVÉ[267].)

Comme la langouste d'Hervé
« Qui portait l'herbe magique,
« Sur sa croupe magnétique »
Mieux que la langouste d'Hervé,

5   Que ce crustacé controuvé,
Vous possédez l'art magique
Et même le magnétique...
Fi d'un crustacé controuvé!

Puis, vous êtes graphologue,
10   Et démêleriez, tonnerre! une églogue[268]
Dans un grimoire où Nostradamus perdrait son latin.

Bon Maygrier, sorcier rose,
Magicien blanc sans rien de morose,
Dites, prédisez-moi quelque plus sortable[269] destin.

---

266. Publié dans *le Chat noir* en décembre 1890. R. Maygrier était un loca-taire de l'hôtel de Lisbonne, où le poète vécut à plusieurs moments des der-nières années de sa vie ; employé municipal, il publia, par la suite, quelques souvenirs sur Verlaine ; **267.** Extrait d'un opéra bouffe de ce titre, dû à F. Hervé. La citation revêt un aspect surréaliste ; **268.** *Eglogue :* petit poème pastoral, dont le genre était très en vogue dans l'Antiquité (églogues de Théo-crite, de Virgile). Verlaine signifie par là que R. Maygrier est à la fois bon latiniste et versé en sciences occultes (Nostradamus [1503-1566] ayant prédit dans une langue partie latine partie française et fort obscure une foule d'événements) ; **269.** Admirez l'heureux jeu de mots.

QUESTIONS

25. L'admiration, le fatalisme, le désabusement se mêlent dans ce poème : développez.
— Comparez la malédiction de Rimbaud à celle de Verlaine.

LXXX

A GUSTAVE LEROUGE[270]

La vie est vraiment si stupide que, ma foi!
J'ai, devant cette perspective plus que bête,
Résolu de n'être absolument qu'un poète[271]
Sans plus et de vieillir ainsi, ne sachant quoi

5   Que ce soit que d'aimer au hasard devant moi,
Aimer pour ne haïr, aimer d'amour honnête
Ou non, d'estime ou d'intérêt, en proxénète
A moins qu'en martyr, et n'ayant plus d'autre émoi!

Lerouge! Et vous? Tout cœur et toute flamme vive,
10   Qu'allez-vous faire en notre exil ainsi qu'il est,
Vous, une si belle âme en un monde si laid?

Bah! faites comme moi, dussent trouver naïve
Votre ample expansion ceux forts que vous fallait[272]
Aimer sans fin ni loi. Et qui m'aime me suive!

Broussais, décembre 1891.

BALLADE

POUR S'INCITER A L'INSOUCI

À Maurice Barrès.

J'ai cet honneur d'avoir des ennemis
D'ordre privé, dont je suis trop bien aise
Et m'esjouis autant qu'il est permis,
Car la vie autrement serait fadaise
5   Et, parlons clair, une bonne foutaise.
Or j'en ai moult, non des moins furieux,
Mais, comme on dit, ardents, chauds comme braise :
Mes ennemis sont des gens sérieux.

270. Publié dans *le Saint Graal* en mars 1892. G. Le Rouge était un ami de bohème. Il publia par la suite quelques souvenirs, en collaboration avec le dessinateur Cazals : *les Derniers Jours de Paul Verlaine* ; 271. Avec lucidité, Verlaine parle du choix délibéré qu'il fit devant la vie ; 272. Ce vers est très obscur ; l'on ne sait qui sont *ceux forts,* que Le Rouge aurait dû aimer. Peut-être est-ce une exhortation voilée à la débauche tranquille que menait Verlaine.

Ils ont passé ma substance au tamis,
10 Argent et tout, fors ma gaîté française
Et mon honneur humain qui, j'en frémis,
Eussent bien pu déchoir en la fournaise
Où leur cuisine excellemment mauvaise
Grille et bout pour quels goûts injurieux ?
15 Sottise, Lucre et Haine qui biaise !
Mes ennemis sont des gens sérieux.

Ils iraient bien jusqu'au crime commis.
Satan les guide et son souffle les baise.
Prière au ciel d'en garder mes amis.
20 Caïn certes était dans leur genèse
Et son péché forme leur exégèse.
Leur discours va flatteur et captieux :
Tel un serpent rampe en un plant de fraise.
Mes ennemis sont des gens sérieux.

ENVOI

25 Prince des cœurs que rien ne déniaise,
Mon cœur tout rond, tout franc, tout glorieux
De battre, et d'être, et d'aimer qui te plaise,
Mes ennemis sont des gens sérieux. **(26)**

QUESTIONS
---

26. Etudiez l'articulation de ce poème.
— Expliquez le vers 20.
— Verlaine ne donne-t-il pas ici l'impression de se justifier ?
— L'effet produit par les archaïsmes incorporés dans cette *Ballade ?*
— Par son comportement social, Verlaine, le non-conformiste, l'instable, le débauché, s'attirait les foudres de nombre de ses contemporains : *a)* Expliquez le mécanisme psychologique « des gens sérieux » ; *b)* En vous souvenant que le style c'est l'homme, plaidez la cause de Verlaine ; *c)* Imaginez l'accueil qu'un Verlaine recevrait à l'heure actuelle.
— Quelles réalités recouvrent les vers 26-27 ?

CHANSONS POUR ELLE

Elle, c'est principalement Eugénie Krantz : la compagne, l'irrégulière, l'égérie. A tout instant le poète l'évoque :

> Je ne crois qu'aux heures bleues
> Et roses que tu m'épanches
> Dans la volupté des nuits blanches !

Pièce XX.

Dans ce recueil, Verlaine use d'un langage du quotidien qu'il émaille volontiers de paillardises et de banalités. D'ailleurs, en ce qui regarde la thématique de son amour, il évite d'intellectualiser ou d'idéaliser son élue ; bien au contraire, il la ramène à des dimensions assurément horizontales :

> Soyons scandaleux sans plus nous gêner.

> Surtout ne parlons pas littérature.
> Au diable lecteur, auteurs, éditeurs
> Surtout ! Livrons-nous à notre nature
> Dans l'oubli charmant de toutes natures [...]

Pièce XVIII.

XXI

LORSQUE TU CHERCHES TES PUCES

> Lorsque tu cherches tes puces
>   C'est très rigolo.
> Que de ruses, que d'astuces !
>   J'aime ce tableau.
> 5   C'est alliciant[273] en diable
>   Et mon cœur en bat
> D'un battement préalable
>   A quelque autre ébat.

> Sous la chemise tendue
> 10   Au large, à deux mains,
> Tes yeux scrutent l'étendue
>   Entre tes durs seins.

---

273. *Alliciant* : adjectif, néologisme créé par Barbey d'Aurevilly sur le verbe *allicio,* « captiver, séduire ». Ce mot signifie donc « séduisant ». Le verbe *allécher* a la même origine latine, mais, ayant évolué naturellement, son sens a un peu changé. *Alliciant* mérite d'être conservé dans le langage.

Toujours tu reviens bredouille,
  D'ailleurs, de ce jeu.
15 N'importe, il me trouble et brouille,
  Ton sport, et pas peu !

Lasse-toi d'être défaite
  Aussi sottement.
Viens payer une autre fête
20 A ton corps charmant
Qu'une chasse infructueuse
  Par monts et par vaux.
Tu seras victorieuse...
  Si je ne prévaux ! **(27)**

——— **QUESTIONS** ———

27. L'effet produit par certaines tournures populaires ?
— Analysez le thème.
— Ici, Verlaine se laisse aller à un prosaïsme qui ne détonnerait pas dans une anthologie contemporaine de la poésie réaliste : *a*) Si vous deviez attribuer ce texte à un poète d'aujourd'hui, à qui songeriez-vous ? (consultez les numéros du *Pont de l'Épée*) ; *b*) La pauvreté de la rime, l'absence d'images renforcent-elles le réalisme outrancier de ce poème ?

LITURGIES INTIMES

Ce recueil occupe une place plus importante dans la vie mystique et spirituelle du poète que dans la géographie de son œuvre. La symbolique des *Liturgies intimes* reflète l'interprétation par Verlaine du dogme catholique : certains titres de poèmes sont significatifs à cet égard : *Sanctus, Veni, sancte..., Ascension, Credo,* etc. Pour une approche plus rigoureuse des *Liturgies intimes,* nous lirons la préface de l'auteur :

PRÉFACE

« Le tout petit livre que voici, et qui s'adresse à un tout petit public d'élite, n'est autre que le complément, oserai-je dire le couronnement d'une œuvre assez considérable comme dimension, et que l'auteur croit correcte devant la Foi. Cette
5 œuvre a quatre volumes : *Sagesse,* la conversion, *Amour,* la persévérance, une défaillance confessée à dessein, *Parallèlement,* et *Bonheur,* conclusion douloureusement calme dans la suprême consolation.

« C'est encore, cet opuscule, l'exposé de la Doctrine et de sa
10 réflexion dans une âme. Exposé très bref, comme qui dirait de l'essence qui, plus tard, beaucoup plus tard, après que l'auteur se sera bien reposé du premier effort, pourrait s'étendre en développements plus accessibles à des esprits plus ou moins mondains.

15 « Pour le moment, l'auteur parle à des catholiques et il préfère leur donner l'impression nette et directe qu'eux-mêmes ressentent, chacun suivant son tempérament.

« Quant à la question de forme, l'auteur a procédé, comme il fait toujours, naïvement non sans prudence. Toute liberté
20 avouable, de la familiarité, parfois du patois, quelques assonances, des rimes répétées ou négatives en très petit nombre, le tout serti dans une langue voulue claire et resserrée le plus possible en certains cas, comme il a prétendu que sa pensée ne franchît jamais les limites du Dogme.

25 « Et que Dieu veuille nous bénir tous, auteur, lecteur... et éditeur ! »

P. V.

Paris, janvier 1892.

A Charles Baudelaire

Je ne t'ai pas connu, je ne t'ai pas aimé,
Je ne te connais point et je t'aime encor moins[274] :
Je me chargerais mal de ton nom diffamé,
Et si j'ai quelque droit d'être entre tes témoins,

5 C'est que, d'abord, et c'est qu'ailleurs, vers les Pieds joints
D'abord par les clous froids[275], puis par l'élan pâmé
Des femmes de péché — desquelles ô tant oints,
Tant baisés, chrême fol et baiser affamé ! —

Tu tombas, tu prias, comme moi, comme toutes
10 Les âmes que la faim et la soif sur les routes
Poussaient belles d'espoir au Calvaire touché !

— Calvaire juste et vrai, Calvaire où, donc, ces doutes,
Ci, çà, grimaces, art, pleurent de leurs déroutes.
Hein ? mourir simplement, nous, hommes de péché. **(28)**

---

274. Par un curieux retour vertueux que semble lui inspirer une trop grande piété, Verlaine feint de ne pas connaître Baudelaire, qu'il a tant admiré ; **275.** Allusion ambiguë : la Crucifixion. D'autre part, il s'y déguise peut-être une critique un peu venimeuse à l'intention de la facture des poésies de Baudelaire : la beauté et la régularité des pieds ne seraient dues qu'à un artifice qui exclut toute chaleur, toute spontanéité.

QUESTIONS

28. Les sentiments de Verlaine à l'égard de Baudelaire.
— La dette de Verlaine envers Baudelaire.

ODES EN SON HONNEUR

Ces *Odes* chargées en nostalgie procèdent d'un mécanisme psychologique intéressant. Pour célébrer la femme, Verlaine la désacralise et nous la présente en pécheresse :

> Je ne suis pas jaloux de ton passé, chérie,
> Et même je t'en aime et t'en admire mieux.
>
> Pièce XVI.

ou encore

> Ils me disent que tu me trompes.
> D'abord, qu'est-ce que ça leur fait,
> Chère frivole, que tu rompes
> Un serment que tu n'as pas fait ?
>
> Pièce XIX.

Et c'est bien parce qu'il a emprunté la vie par les chemins de traverse les plus sordides que le poète chrétien Paul Verlaine sait pardonner. Nous voudrions insister — au risque de voiler certains stéréotypes — sur ce sens du Pardon.

La bouleversante confession que nous livrons à la méditation des lecteurs nous renseigne sur l'humilité et l'amour vrai qui habitaient le cœur du poète :

> Quand tu me racontes les frasques
> De ta chienne de vie aussi,
> Mes pleurs tombent gros, lourds, ainsi
> Que des fontaines dans des vasques,
> Et mes longs soupirs condolents
> Se mêlent à tes récits lents.
>
> Pièce XV.

C'est toute la thématique de la destinée verlainienne qui se joue dans ces vers. Dans ce recueil, Verlaine suspend son érotisme misogyne et blasphématoire et nous raconte son âme avec ce qu'il faut d'échecs pour engendrer et assumer l'échec de son univers affectif.

Les réseaux d'images utilisés par le poète quand il parle de la femme convergent vers un érotisme délicat :

> Croupe superbe éprise de loisir.
>
> Pièce XI.

Dans une lettre qu'il adresse à son éditeur Vanier (7 janvier 1892), Verlaine parle ainsi de son recueil qu'il vient d'achever : « *Odes en son honneur* finies et prêtes à imprimer. Complètement (mieux, plus corsé et en même temps plus sérieux, plus écrit que les *Chansons*, tout en restant, au fond, chansons... Tirant à l'élégie tibullienne, etc. Rien de Ronsard d'ailleurs). Ça n'attend plus que vous. » Les *Odes* seront éditées en mai 1893.

V

QUAND JE CAUSE AVEC TOI PAISIBLEMENT

« Quand je cause avec toi paisiblement,
Ce m'est vraiment charmant, tu causes si paisiblement !

Quand je dispute et te fais des reproches,
Tu disputes, c'est drôle, et me fais aussi des reproches.

5 S'il m'arrive, hélas ! d'un peu te tromper,
Ô misère ! tu cours la ville afin de me tromper.

Et si je suis depuis des temps fidèle,
Tu me restes, durant juste tous ces temps-là, fidèle.

Suis-je heureux, tu te montres plus heureuse
10 Encore, et je suis plus heureux, d'enfin ! te voir heureuse.

Pleuré-je, tu pleures à mon côté.
Suis-je pressant, tu viens bien gentiment de mon côté.

Quand je me pâme, lors tu te pâmes
Et je me pâme plus de sentir qu'aussi tu te pâmes.

15 Ah ! dis, quand je mourrai, mourras-tu, toi ? »
Elle : « Comme je t'aimais mieux, je mourrai plus que toi. »

... Et je me réveillai de ce colloque.
Hélas ! C'était un rêve (un rêve ou bien quoi ?) ce colloque[276].

---

276. Publié dans *le Chat noir* en avril 1892. La pièce semble s'adresser à Eugénie Krantz. Elle est bâtie, sur la répétition à la rime, en distiques. Aux distiques 5 et 6, la rime se répète, pour chacun d'eux, quatre fois. Il y a un peu trop de facilité.

ÉLÉGIES

Publiées en mai 1893 et contemporaines des *Odes en son honneur*, les *Elégies* furent commencées en août 1892 à l'hôpital Broussais. Dans ses *Elégies*, Verlaine souhaitait réintégrer la simplicité des élégies tibulliennes.

VIII[277]

VRAI, LÀ, MAIS QUEL BOURREAU D'ARGENT TU FAIS, PETITE!

MOI

Vrai, là, mais quel bourreau d'argent tu fais, petite!

TOI

Tiens, tiens!

MOI

Il n'est banquier solide, il n'est pépite
Sérieuse qui pût te résister...

TOI

Vraiment!

MOI

Je suis pauvre, tu sais, tu sais aussi comment
5 De quelle ardeur je trime et fais, vaille que vaille,
Puisqu'on n'est pas rentier et qu'il sied qu'on travaille,
Des besognes pour tel journal Ali-Baba
Dont le Sésame par instants me fault.

TOI

Ah bah?

MOI

Enfin, modère-toi, chéri, dans tes dépenses.
10 La galette n'est pas ce que, vaine, tu penses :

---

277. L'auteur avait prévu un titre : « Colloque naturaliste ». C'est en effet un « colloque » assez sordide entre le poète et Philomène Boudin ; celle-ci, dans sa trivialité coutumière, s'y montre exigeante mais bonne fille, au fond ; tandis que Verlaine y va de sa veulerie d'homme faible et vieillissant. La pièce est intéressante en ce qu'elle dépeint sans trop d'exagération les misères matérielles de Verlaine. Certains vers de la première partie sont de très bonne facture ; tandis que, dans la seconde, la vulgarité s'insinue.

Elle a des hauts et des bas et surtout des bas;
Que de braves reculs, que de lâches combats
Vis-à-vis de maints éditeurs, gent redoutable,
Juste pour la couchette et juste pour la table.
15 Parbleu, j'aime le luxe aussi. Je n'en dors pas
D'aimer le luxe des habits et des repas
Et des lampas et des lambris et tout le diable!
Et même cette dèche implacable, effroyable
Où se débattent mes courages presque en vain,
20 Courage de la soif, courage de la faim
Et du froid et du chaud, la faute à qui? Peut-être,
— Autant qu'on peut juger de son propre Bicêtre[278], —
Un tantinet à moi, sans compter les amis
De l'un et l'autre sexe, — et quelques ennemis,
25 Mais surtout, mais surtout à mon amour du faste.
J'aimais qu'un bon dîner remplît ma panse vaste,
Qu'un bon lit, trop étroit, me dît d'être galant,
Serrer la main aux pauvres hommes de talent,
Enfin acheter des dessins et des gravures
30 Et, l'avouerai-je? me payer des gravelures
Japonaises ou dix-huitième siècle, et ce
M'a nécessairement conduit...

TOI

Arrêtez-le!

MOI

M'a nécessairement conduit à la ruine.
Je n'ai plus rien...

TOI

Assez, bon sang! quelle platine!

MOI

35 Tu railles ma garrulité[279] peut-être à tort,
Chéri. J'admets que j'ai tendu fort le ressort,
Je sais que j'exagère et sans doute plaisante.
Certes ton luxe et ton amour de lui présente
De modestes aspects, j'admets un peu forcés.
40 (Dame, on ne peut avoir trop avec pas assez),

278. *De son propre Bicêtre* : « de son propre taudis ». Bicêtre était un asile
de vieillards particulièrement lugubre; 279. *Ma garrulité* : néologisme formé
sur le latin *garrulus*, « geai ». Le mot signifie donc « qualité ou état du geai ».
Allusion probable au fait que la *petite* lui fait sentir qu'il parle à tort et à
travers, comme un geai...

Mais enfin tu n'es pas très femme de ménage,
Je puis le dire sans ridicule à mon âge
Calmé, lent, réfléchi...

TOI

Réfléchi, c'est le mot.

MOI

J'abuse du vocable, en effet, mais pas trop
45 De la chose, conviens. Je disais donc, chérie,
Que je t'adjure de tout mon cœur et te prie
D'à ton tour réfléchir sur les nécessités
Qui nous tiennent, hélas, de pas mal de côtés.
Voyons, modérons-nous dans la petite vie
50 Agréable, après tout, que plus d'un nous envie.
Soyons, s'il te plaît, toi, coquette, moi, bien mis,
Mangeons comme de droit buvons comme permis,
Mais, sacrebleu ! surtout, n'allons pas perdre haleine
A tant courir...

TOI

N'en jetez plus, la cour est pleine[280] !

MOI

55 A tant courir, disais-je, en somme, après la fin
De tout crédit jusque chez... le marchand de vin !
Après, en un mot comme en mille, la misère !
Voyons, de la raison un peu, c'est nécessaire,
Impérieux : pas drôle, ô non pas ! la raison,
60 Mais, dans l'espèce, indispensable, à la maison !
Je veux...

TOI

Tu veux !

MOI

Nous voulons.

TOI

Qui donc est le maître

---

280. Expression quasi argotique signifiant « arrêtez », qui date du temps
où les chanteurs des rues demandaient ironiquement aux citadins de ne pas
jeter sur leur passage plus d'argent qu'ils n'en pouvaient ramasser après leur
tour de chant.

Ici?

MOI

Toi.

TOI

Qui donc est raisonnable?

MOI

Peut-être...

TOI

Pas de peut-être! Moi. Qu'il en soit autrement,
Je m'en moque. Je suis le maître absolument
65 Et je n'ai plus besoin de mamours ni d'astuces,
J'espère, pour être obéie, — et que tu dusses
En maugréer, fais-le, mais, encor, pas trop haut.
Or je veux de l'argent. Beaucoup! Puis il m'en faut
Tout de suite; donne à l'instant et puis turbine!
70 C'est ton petit devoir d'esclave et de machine :
Encore bien heureux de le faire pour moi.

MOI

D'accord. Combien veux-tu?

TOI

Tout ce que t'as sur toi,
Chez toi, chez moi plutôt.

MOI

Prends.

TOI

Donne.

MOI

Voilà, chère.

TOI

Et maintenant faites le beau, baisez mémère. (29)

─────── QUESTIONS ───────

29. A la faveur de ce dialogue, la personnalité de *Toi*.
— En quoi ce texte est-il une confession biographique?
— Analysez la situation pathétique qui transparaît dans ce dialogue.

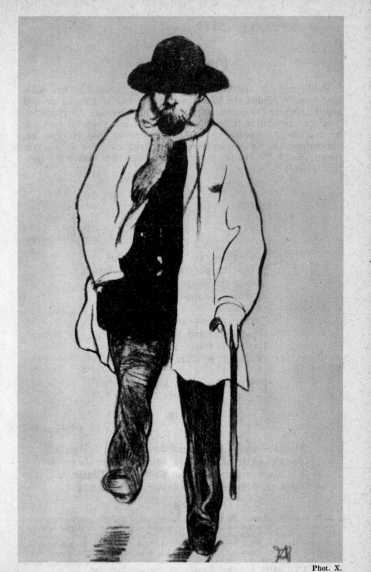

Phot. X.

Paul Verlaine déambulant au Quartier latin (1894).

Dessin par F. A. Cazals.

ÉPIGRAMMES

Publié aux éditions de *la Plume* en 1894, ce recueil est une occasion pour Verlaine de faire ses gammes sur le compte de son esprit critique. D'ailleurs, en guise d'avant-dire aux *Épigrammes,* voici ce que déclare le poète : « L'opuscule que voici fut écrit par un malade qui voulait se distraire et ne pas trop ennuyer ses contemporains. En conséquence la postérité est priée de n'y voir qu'un jeu. P. V. Hôpital Saint-Louis, Pavillon Gabrielle, mai-juin 1894. »

XVI

I

À Léon Deschamps.

Les Salons, où je ne vais plus,
M'ont toujours fait, pétards, fusées,
Étrons de Suisse, soleils, flux
Et reflux de mises osées,

5   Traînes, pompons, rubans, volants,
(Las ! quoi ! pas de décolletage ?)
L'effet de feux mirobolants
D'artifice et d'art, — avantage

Précieux, mais où les talents[281] ?

III

À Léon Deschamps.

Michel-Ange[282], Germain Pilon[283], Puget[284], Pigalle[285],
Telle ma statuaire, et rira qui voudra :
En eux j'aime la Force et l'Effort qui l'égale,
Tout en goûtant ailleurs la Grâce, et cætera.

---

281. Notez la violence de cette épigramme, où la description, tout en étant fort chargée, n'est point fausse et le trait final non dénué de vérité relative ; **282.** *Michel-Ange Buonarroti* (1475-1564) : très célèbre sculpteur, peintre et architecte italien ; **283.** *Germain Pilon* (1535-1590) : sculpteur français, auteur des mausolées de François Ier et de Henri II à Saint-Denis ; **284.** *Pierre Puget* (1622-1694) : sculpteur marseillais très réputé ; **285.** *Jean-Baptiste Pigalle* (1714-1785) : autre sculpteur français de grande réputation.

5 En eux avec la Vie intense, aussi, j'adore
   Peut-être mieux, de vrai! ce précis Incertain,
   Et c'est pourquoi de tous nos modernes encore
   Je préfère, robuste et mystique, Rodin[286].

XXIV

AU BAS D'UN CROQUIS

(SIÈGE DE PARIS)

Paul Verlaine (Félix Régamey *pingebat*[287])
Muet, inattentif aux choses de la rue,
Digère, cependant qu'au lointain on se bat,
Sa ration de lard et son quart de morue.

XXVI

SUR UN EXEMPLAIRE
DES « ODES FUNAMBULESQUES »

« Clown étonnant, en vérité! »
Mais plus admirable poète
Qui, malgré Pascal, est resté
L'ange tout en faisant la bête.

XXVIII

SUR UN EXEMPLAIRE
DES « FLEURS DU MAL[288] »

(PREMIÈRE ÉDITION)

Je compare ces vers étranges
Aux étranges vers que ferait
Un marquis de Sade discret
Qui saurait la langue des anges.

---

286. *Auguste Rodin* (1840-1917) : génie de la sculpture française. Verlaine ne retient ici que les très grands maîtres de la statuaire ; ce choix n'est pas risqué, mais le poète en justifie l'incontestable bien-fondé. Il indique également sa propre attitude en matière de poésie : le *précis incertain ; 287.* Il s'agit d'un dessin à la plume, peu ressemblant, exécuté par Félix Régamey (*pingebat :* « a dessiné ») ; **288.** Verlaine reconnaît à Baudelaire des qualités stylistiques et d'expression que le marquis de Sade ne possédait pas ; mais, en même temps, il schématise trop l'esprit du grand poète. L'œuvre de Baudelaire a une portée humaine et esthétique bien plus étendue que les « romans » du « divin marquis ».

CHAIR

Les pièces qui composent cette *Chair* posthume datent des trois dernières années de la vie du poète. Dans le numéro du 1-28 février 1896 consacré à Verlaine, *la Plume* livra le manuscrit intégral de *Chair*. Malheureusement, ce recueil nous révèle un poète à bout de souffle qui rime ses éclats les plus ternes :

> L'amour est infatigable !
> Il est ardent comme un diable,
> Comme un ange il est aimable.

Prologue.

« LA CLASSE[289] »

Allez, enfants de nos entrailles, nos enfants
A tous[290] qui souffririons de vous savoir trop braves
Ou pas assez, allez, vaincus ou triomphants,
Et revenez ou mourez... Tels sont, fiers et graves,

5 Nos accents, pourtant doux, si doux qu'on va pleurer
Puisqu'on vous aime mieux que soi-même — mais vive
La France encore mieux, puisque, sans plus errer,
Il faut mourir ou revenir, proie ou convive !

Revenir ou mourir, cadavre ou revenant,
10 Cadavre saint, revenant pire qu'un cadavre
En raison des chers torts et revenant planant
Comme des torts sur un cœur tendre que l'on navre,

S'en revenant[291] estropiés ou bien en point
Sous le drapeau troué, parbleu ! de mille balles,
15 Ou, nom de Dieu ! pris et repris à coups de poing !...
Ô nos enfants, ô mes enfants ! — car tu t'emballes.

Pauvre vieux cœur pourtant si vieux, si dégoûté
De tout, hormis de cette éternelle Patrie.

---

289. Ce poème « patriotique » mêlé d'un lyrisme goguenard fut publié dans un fascicule commémoratif : *les Anniversaires de la mort de Paul Verlaine pendant la guerre (1915-1916)* ; **290.** Les lois de l'alexandrin contraignirent le poète à élider le pronom personnel *nous* ([...] *A* [nous] *qui souffririons* [...]), qui régit la conjugaison du verbe souffrir ; **291.** Remarquez l'insistance sur l'idée (ou l'espérance) de retour : *revenir* et *revenant* apparaissent cinq fois en cinq vers.

Quoi! *Liberté? Egalité? Fraternité?*
20 Non! pas possible!... Enfin, enfants de la Patrie,

Allez, — et tâchez donc de sauver la Patrie!

Paris, 17 novembre 1894[292].

Fog!

*Pour M*me***

Ce brouillard de Paris est fade,
On dirait même qu'il est clair
Au prix de cette promenade
Que l'on appelle Leicester Square.

5

Mais le brouillard de Londres est
Savoureux comme non pas autres;
Je vous le dis, et fermes et
Pires les opinions nôtres!

Pourtant dans ce brouillard hagard
10 Ce qu'il faut retenir quand même
C'est, en dépit de tout hasard,
Que je l'adore et qu'elle m'aime.

---

292. M. J. Borel (Éd. de la Pléiade), page 1299, note que cette pièce est dédicacée à Clément Cazals (le dessinateur), « canonnier, en garnison à Bourges ».

Phot. Larousse.

Paul Verlaine et Jean Moréas au Salon des Cent (1894).

Affiche de F. A. Cazals.

Paris, Bibliothèque nationale.

INVECTIVES

De ce recueil posthume, ordonnancé et édité par les soins de Léon Vanier, nous voyons sourdre, plus éloquemment qu'ailleurs, les cris de l'insurgé Verlaine.

Le poète fustige le

> Juge de paix mieux qu'insolent
> Et magistralement injuste,
>
> *Sonnet pour Larmoyer,*

il s'en prend aux *cognes et flics* et à la

> Canaille subalterne,
> Sergots, cochers, logeurs,
> Plate race à l'œil terne.
>
> *Petty Larcenies.*

Ailleurs, dans *Un peu de bâtiment,* Verlaine dénonce la hideur d'un urbanisme moderne qui dépoétise la capitale :

> Dans ce Paris si laid moderne, il est encore
> Ou plutôt il était, car tout se déshonore,
> Il était quelques coins pittoresques, ô non !

Cet ensemble est écrit à grands coups de rancœur et d'amertume, certes; mais, derrière un Verlaine arracheur de drapeaux, caustique et insolent, se profile un homme lucide et humble qui emprunte le ton de la confession :

> Et oui, j'ai mes défauts, qui n'en a devant Dieu ?
>
> *Mon apologie;*

ou encore

> Je suis un sale ivrogne, dam !
>
> *Chanson pour boire.*

Nous citerons encore ce distique plein de hardiesse qui pourrait, à lui seul, justifier les *Invectives* :

> La haine ! elle est à qui la veut !
> C'est le diable au sens catholique.
>
> *A l'ancienne.*

Quant à la genèse de ce recueil, elle apparaît assez complexe. Il s'agirait en fait d'un ensemble composé à base de fonds de tiroirs : de textes compris dans *Sagesse,* et refusés par Palmé en 1881, et de fractions de *Cellulairement.*

IV

LITTÉRATURE[293]

Bons camarades de la Presse
Comme aussi de la Poésie,
Fleurs de muflisme[294] et de bassesse,
Élite par quel Dieu choisie,
5   Par quel Dieu de toute bassesse?

Confrères mal frères[295] de moi,
Qui m'enterriez presque jadis
Sous tout ce silence — pourquoi? —
Depuis l'affreux soixante-dix[296],
10   Confrères mal frères de moi,

Pourquoi ce silence mal frère
Depuis de si longues années,
Et tout à coup comme en colère
Tant de clameurs, comme étonnées?
15   Pourquoi ce changement mal frère?

Ah, si l'on pouvait m'étouffer
Sous cette pile de journaux
Où mon nom qu'on feint de trouver
Comme on rencontre des cerneaux[297]
20   Se gonfle à le faire crever!

C'est ce qu'on appelle la Gloire
— Avec le droit à la famine,
A la grande Misère noire
Et presque jusqu'à la vermine —
25   C'est ce qu'on appelle la Gloire! **(30)**

---

293. Publié dans *la Revue blanche* en novembre 1891. C'est une « invective » particulièrement énergique, où le poète dit sa rancœur d'avoir été longtemps écarté et de se trouver maintenant maltraité par trop de *mal frères*; **294.** *Muflisme* : néologisme qui fut, par la suite, supplanté par *muflerie*, forme définissant mieux ce genre d'attitude; **295.** *Mal frères* : « traîtres, félons, faux frères »; on disait en ancien français *maufrère*; **296.** L'année de son mariage; **297.** *Cerneaux* : pulpes comestibles des noix vertes. Image servant à faire sentir que les *confrères* feignent de ne pas attacher d'attention au nom de Verlaine, qui commence à être connu.

QUESTIONS

30. Ce texte traduit-il la malédiction du pauvre Lélian?
(Suite, v. p. 125.)

VI

PORTRAIT ACADÉMIQUE[298]

Fleur de cuistrerie et de méchanceté
Au parfum de lucre et de servilité,
Et poussée en plein terrain d'hypocrisie[299],

Cet individu fait de la poésie
5 (Qu'il émet d'ailleurs sous un faux nom « pompeux[300] »,
Comme dit Molière à propos d'un fossé bourbeux).

Sous l'Empire il émargea tout comme un autre[301],
Mais en catimini, car le bon apôtre
Se donnait des airs de farouche républicain :

10 Depuis il a retourné son casaquin[302]
Et le voici plus et moins qu'opportuniste.

Mais de ses hauts faits j'arrête ici la liste
Dont Vadius et Trissotin[303] seraient jaloux.

Pour conclure, un chien couchant aux airs de loups[304].

---

298. « Invective » dirigée contre Leconte de Lisle, que Verlaine avait admiré autrefois ; **299.** L'attaque est outrée ; **300.** Leconte de Lisle (1818-1894) s'appelait Charles Leconte ; mais comme il était né à l'île Bourbon, ce n'avait rien de particulièrement *pompeux* qu'il fît de cette provenance exotique le complément de son nom de plume. Et le trait que Verlaine décoche pesamment à ce propos n'est spirituel que parce que Molière en est l'auteur ; **301.** Allusion à une pension de 300 francs par mois que l'Empire allouait au poète réunionais ; **302.** Allusion à une brève tentative d'activité politique dans les rangs républicains en 1871 ; mais, très vite, Leconte de Lisle ne put s'accommoder des intrigues politiques et se retira de cette scène bruyante sans retourner son *casaquin*. Au reste, Verlaine suivit une démarche analogue, à ceci près que, pour passer du « communeux » engagé au 160ᵉ bataillon au catholique dogmatique et quasi royaliste, il faut nécessairement *retourner son casaquin* en route... ; **303.** *Vadius* : personnage des *Femmes savantes* de Molière. — Mesnage, grammairien. — *Trissotin* : autre personnage des *Femmes savantes*, type du poète pédant ; **304.** En fait, une incompatibilité de tempéraments sépare ces deux poètes. Et c'est irréductible ; Leconte de Lisle est un stoïcien qui cherche, dans la maîtrise de son art, dans la noblesse des attitudes et dans l'expression de la beauté absolue, à masquer sa douleur de vivre ; Verlaine est un plébéien qui clame sa souffrance dans un « dolorisme » consolateur. Quitte à maintenir la méchante comparaison cynégétique qu'emploie l'auteur des *Invectives*, on peut dire leur différence : Leconte de Lisle est un chien cervier, Verlaine un fox-terrier à poil dur.

━━ QUESTIONS ━━

— Justifiez l'énumération des trois termes *gloire, famine, misère.*
— Analysez la relation des sentiments évoqués.

XVI

Détestant tout ce qui sent la littérature

Si jamais quelques noms s'embrouillent sur ma lyre
Ce ne sera jamais que Grivel et Grévil[305].

Détestant tout ce qui sent la littérature,
Je chasse de ce livre uniquement privé
Tout ce qui touche à l'horrible littérature.

Pourtant un mot, un simple mot, et puis c'est tout,
5 Sur un faquin qui s'est permis des facéties
A mon endroit. — Un simple mot et puis c'est tout.

J'étais à l'hôpital, lequel? Vraiment le sais-je,
Étant si coutumier et du fait et du lieu!
J'étais à l'hôpital. Dire lequel? Qu'en sais-je?

10 Or pendant ce temps-là de miens cuisants ennuis,
De douleur non pareille et de quantes souffrances[306],
Et pendant ce temps-là de miens cuisants ennuis,

De remèdes amers, d'opérations dures,
D'odeurs mauvaises, de misères et de tout!
15 Ô remèdes amers, opérations dures!

Ce monsieur crut plaisant de me couper en deux :
Le poète, très chic, l'homme, une sale bête.
Voyez-vous ce monsieur qui me coupait en deux?

Rentre, imbécile, ton « estime » pour mes livres.
20 Mais ton mépris pour moi m'indiffère[307], étant vil.
Garde, imbécile, ton « estime » pour mes livres,

Dernier des reporters, et premier des Graivil.

---

305. Pièce dirigée contre un journaliste de *l'Echo de Paris,* un nommé Bertol-Graivil, d'où *Grivel-Grévil;* **306.** *Quantes souffrances :* « combien grandes souffrances » ; vieux mot (adjectif) ; **307.** *M'indiffère :* emploi incorrect ; le verbe *indifférer* n'existe pas. Le sens est « me laisse indifférent ».

XVIII

A un magistrat de boue[308]

souvenir de l'année 1885

Fous le camp[309], quitte vite et plus tôt que cela
      Nos honnêtes Ardennes
Pour ton Auvergne honnête d'où déambula
      Ta flemme aux lentes veines.

5   Paresseux ! quitte ce Parquet[310] pour en cirer
      De sorte littérale
D'autres au pied de la lettre au lieu de t'ancrer,
      Cariatide sale,

Dans ce prétoire où tu réclames l'innocent
10   Pour le bagne et la geôle,
Où tu pérores avec ton affreux accent
      Pire encore que drôle,

Mauvais robin qui n'as, du moins on me l'a dit,
      Pour toi que ta fortune,
15   Qui sans elle n'eusses, triste gagne-petit,
      Gagné la moindre thune[311],

Tu m'as insulté, toi ! du haut de ton tréteau,
      Grossier, trivial, rustre !
Tu m'as insulté, moi ! l'homme épris du seul beau,
20   Moi, qu'on veut croire illustre.

Tu parles de mes mœurs, espèce de bavard,
      D'ailleurs sans éloquence,
Mais l'injure quand d'un tel faquin elle part
      S'appelle... conséquence.

---

308. Jeu de mots : *magistrat debout* (magistrat chargé de l'instruction d'une affaire ou de l'accusation du prévenu). Il s'agit du procureur Grivel, devant lequel le poète comparut à Vouziers (Ardennes), le 8 mars 1885, sur plainte pour « ivresse avec scandale ». Condamnation : un an de prison (Verlaine sera relâché deux mois plus tard) ; **309.** Hardiesse verbale : l'une des premières apparitions de cette expression *en toutes lettres* dans un poème ; **310.** Jeu sur le mot *parquet* ; **311.** *Thune* : « pièce de cinq francs » (mot d'argot).

25   La conséquence est que, d'abord tu n'es qu'un sot
        Qui pouvait vivre bête,
    Sans plus, — tandis que, grâce à ce honteux assaut
        Vers un pauvre poète,

    Un poète naïf[312] qui n'avait d'autre tort
30   Que d'être ce poète,
    As mérité de lui, paresseux qui t'endors,
        Poncif, laid, dans ta *boète,*

    (Comme tu prononces, double et triple auverpin[313])
        Que les siècles à suivre
35   Compissent, et pis! ton nom, Grivel (prends un bain)
        Grâce à ce petit livre.

XXXVI

SOUVENIRS DE PRISON

(1874)

    Les passages Choiseul aux odeurs de jadis,
    Où sont-ils? En l'hiver de ce Soixante-Dix
    On s'amusait. J'étais républicain, Leconte
    De Lisle aussi, ce cher Lemerre étant archonte
5   De droit, et l'on faisait chacun son acte en vers.
    Jours enfuis! Quels Autrans soufflèrent à travers
    La montagne! Le Maître est décoré comme une
    Châsse et n'a pas encor digéré la Commune.
    Tous sont toqués, et moi qui chantais aux temps chauds,
10 Je danse sur la paille humide des cachots. **(31)**

---

312. Naïveté sur laquelle le poète joue un peu ; **313.** *Double et triple auverpin :* forme péjorative pour « Auvergnat ». Verlaine, homme du Nord, paraît encore plus irrité de se voir accusé et jugé par un Occitan, un « Auverpin flemmard ».

─── QUESTIONS ───

31. Retrouvez le contexte historique de ce poème.
— Comment l'éditeur Lemerre apparaît-il dans ce poème ?
— Analysez la qualité de l'humour qui se dégage de ce poème.
— A propos des deux derniers vers, comparez l'utilisation du style parodique chez Verlaine et chez Corbière (cf. *la Cigale et le Poète*, « Nouveaux Classiques Larousse », page 86).
— Avez-vous des remarques à formuler quant à l'articulation de ce poème ?
— Dans ce texte il y a cumul de précisions : ces *souvenirs* ne tiennent-ils pas lieu de chronique ?

POÈMES ÉPARS

Nous avons réuni sous ce titre des écrits qui occupent une place marginale dans l'œuvre poétique de Verlaine. En effet, les textes ici présentés n'appartiennent pas à la géographie organisée des recueils : ils sont extraits de différentes sections qui figurent dans l'édition de Y. G. Le Dantec, complétée et présentée par Jacques Borel. Les intitulés de ces sections et leur ordre chronologique ont été respectés dans notre choix.

POÈMES CONTEMPORAINS DES « POÈMES SATURNIENS » ET DES « FÊTES GALANTES »

QUATRAIN

D'ailleurs en ce temps léthargique,
Sans gaîté comme sans remords,
Le seul rire encore logique,
C'est celui des têtes de morts[330].

[1867]

L'ENTERREMENT[331]

Je ne sais rien de gai comme un enterrement !
Le fossoyeur qui chante et sa pioche qui brille,
La cloche, au loin, dans l'air, lançant son svelte trille,
Le prêtre, en blanc surplis, qui prie allégrement,

5 L'enfant de chœur avec sa voix fraîche de fille,
Et quand, au fond du trou, bien chaud, douillettement,
S'installe le cercueil, le mol éboulement
De la terre, édredon du défunt, heureux drille,

Tout cela me paraît charmant, en vérité !
10 Et puis, tout rondelets sous leur frac écourté,
Les croque-morts au nez rougi par les pourboires,

---

330. Appréciez le pessimisme macabre allié à la perfection de la cadence. Ce quatrain servait d'épigramme au roman de Villiers de L'Isle-Adam, *Claire Renoir* ; **331.** Pièce publiée dans l'*Echo de Paris* en mai 1891 ; la rédaction en est postérieure aux *Poèmes saturniens*.

XLIV

PETTY LARCENIES[314]

Canaille subalterne,
Sergots, cochers, logeurs,
Plate race à l'œil terne,
Chiens couchants et mauvais coucheurs,

5 Je vous aime et j'estime
Votre petit trafic
Qui, n'osant pas le crime,
Ment et vole, depuis le flic

Jusqu'au collignon[315] rouge
10 De veste et de gilet,
Jusqu'au teneur de bouge
Et de sommeil qu'un rien troublait.

T'en souvient-il, Moi-même,
De tous leurs humbles trucs,
15 Quand la richesse extrême
N'avait pas pompé tous tes sucs[316] !...

Le flic aimait la pièce,
Aussi le collignon.
L'hostelier, gente espèce,
20 A son tour ne disait pas non...

Puis, pour être à la coule[317]
De ce siècle crevant[318],
Chacun de cette foule
Donnait gentiment de l'avant.

25 Et, les yeux en extase
Vers la Haute[319], ces bons

---

314. Mots anglais désignant des vols insignifiants (du français « petits larcins ») ; **315.** *Collignon* : mot qui sert à désigner un cocher de fiacre brutal et malappris ; du nom d'un cocher qui, en 1855, tua un homme qui s'était plaint de son insolence. Les cochers portaient souvent une livrée ; **316.** Verlaine s'estime satisfait de s'être fait déposséder de son argent du temps où il en avait ; **317.** Expression argotique : « pour être au courant » ; **318.** Mot familier : « qui fait rire, rire à en crever » ; **319.** Terme populaire : « la haute société », avec une nuance de mépris.

Garçons — le fond du vase —
A leur tour devenaient fripons,

Et de fripons fripouilles,
Si que, selon les gens,
30 « C'est la fin des grenouilles... »
Grands dieux, soyez-nous indulgents !

XLV

COGNES ET FLICS

Autrefois j'aimais les gendarmes.
Drôle de goût, me direz-vous...
Enfin je leur trouvais des charmes,
Non certes au-dessus de tout,

5 Mais je les gobais[320] tout de même
Comme on prise de bons enfants.
Élite de l'armée et crème
Et fleur, ils m'étaient triomphants !

Leurs baudriers et leurs bicornes[321],
10 Si bien célébrés par Nadaud[322],
D'une sécurité sans bornes
Flattaient mon âme de badaud.

Puis, ils lampent le petit verre
Avant comme après le repas
15 D'un geste plus ou moins sévère
Et je ne le détestais pas.

Je trinquais avec des brigades
Et nous buvions à nos amours.
Comme il sied avec des troubades[323],
20 C'était moi qui payais toujours...

---

320. Mot d'argot : « je les aimais » ou « je les supportais » ; 321. La maréchaussée avait conservé le chapeau de la garde nationale du temps de la Révolution ; 322. *Gustave Nadaud* (1820-1893) : chansonnier très populaire ; l'une de ses chansons est intitulée *les Deux Gendarmes* ; 323. Déformation verlainienne du mot « troubadour » (cheville).

Depuis je constate avec peine
Qu'ils sont des rosses[324] vous dressant
Procès-verbal à perdre haleine
Quand ils jugent le cas pressant.

25 La douille manque à la caserne.
Or voici, grâce à tels délits
Qu'ils fabriquent d'un style terne,
Les budgets qu'il faut, rétablis[325].

A moi, les chouias, les macaches[326] !
30 Désormais je me voue au chant
National de « Mort aux vaches[327] ! »
Fussé-je pris pour un méchant...

Comme aussi les sergents de ville :
J'avais une estime pour eux !
35 Protecteurs de la paix civile,
De l'ordre gardiens valeureux,

Rempart du Bien, terreur du Crime,
Ils me semblaient, naïveté !
Une apparition sublime
40 D'anges veillant sur la cité...

Hélas ! c'est encor : « Mort aux vaches ! »
Qu'il faut crier quand on les voit.
Massacreurs féroces et lâches,
Mouchards, non point maquereaux, soit,

45 Mais tout comme, ivrognes qu'indure
Plus d'un rogomme[328] monstrueux...
Et le héros se dénature
En un drôle imperpétueux[329].

---

324. *Rosse* : mot familier qui désignait, à l'origine, une jument rétive ; 325. Allusion à l'une des fonctions bien connues de la force publique... ; 326. Termes d'argot provenant de l'arabe dialectal. *Chouia* : un peu ; *macache* : rien ou pas du tout ; 327. Refrain ou leitmotiv bien connu de plusieurs chansons du bagne et de la pègre ; 328. *Rogomme* : liqueur ou boisson alcoolique quelconque ; 329. *Imperpétueux* : néologisme ; création de Verlaine. Le sens étymologique est « qui ne peut pas durer toujours ». Le mot *drôle* (féminin : *drôlesse*) est un dialectisme pour désigner un « garnement », un « personnage peu intéressant ».

Et puis les beaux discours concis, mais pleins de sens,
Et puis, cœurs élargis, fronts où flotte une gloire,
Les héritiers resplendissants ! **(32)**

APPENDICE : VIEILLES « BONNES CHANSONS »

L'ÉCOLIÈRE

Je t'apprendrai, chère petite,
Ce qu'il te fallait savoir peu
Jusqu'à ce présent où palpite
Ton beau corps dans mes bras de dieu.

5 Ta chair, si délicate, est blanche,
Telle la neige et tel le lys,
Ton sein aux veines de pervenche
Se dresse en deux arcs accomplis ;

Quant à ta bouche, rose exquise,
10 Elle appelle mon baiser fier ;
Mais sous le pli de ta chemise
Rit un baiser encor plus cher...

Tu passeras, d'humble écolière,
J'en suis sûr et je t'en réponds,
15 Bien vite au rang de bachelière
Dans l'art d'aimer les instants bons. **(33)**

A PROPOS D'UN MOT NAÏF D'ELLE[332]

Tu parles d'avoir un enfant
Et n'as qu'à moitié la recette.
Nous baiser sur la bouche, avant,

---

332. Madrigal joliment tourné, à la manière des impromptus non dépourvus de gauloiserie qui connaissaient une grande vogue aux XVIIᵉ et XVIIIᵉ siècles.

————— **QUESTIONS** —————

32. N'est-ce pas l'aspect théâtral du cérémonial funéraire qui séduit le poète ?
— Retrouvez l'histoire des mots *croque-mort* et *pourboire*.

33. S'agit-il d'une intention perverse ? d'un besoin d'émanciper ?
— Vers 15. Quelle valeur attribuez-vous au mot *bachelière ?*

Est utile, certes, à cette
5   Besogne d'avoir un enfant.

Mais, dût s'en voir à tort marri
L'idéal pur qui te réclame,
En ce monde mal équarri,
Il te faut être en sus ma femme
10   Et moi me prouver ton mari.

[1869-1870]

POÈMES CONTEMPORAINS
DE « LA BONNE CHANSON »
ET DE « ROMANCES SANS PAROLES »

Retour de Naples[333]

Don Luis Maria Juan José Benito,
Marquis de Santarem y Peñas en Castilles[334],
Borgne — écoute la messe en croquant des pastilles[335]
Et croise sur son sein cuirassé son manteau.

5   Sa lame que son poing étreint d'un rude étau
A coutume, terreur des plus âpres bastilles,
D'être aux cimiers revêche et courtoise aux mantilles[336],
Et sur sa dague on lit en rouge : « Yo mato[337] ».

Il revient de très loin, le haut marquis! Les îles
10   Illyriaques[338], et l'une des deux Siciles[339]
Ont souvent retenti de son nom exalté.

---

333. Sonnet à la manière de Heredia ; 334. Le pluriel assure la rime visuelle avec le vers suivant. En réalité, bien qu'on distingue deux Castilles, la Vieille Castille (Numance) et la Nouvelle Castille (Tolède, etc.), le masculin est de rigueur pour désigner l'origine d'un personnage, lequel ne peut pas être natif à la fois de Bayeux et de Bayonne... ; 335. Remarquable cheville disposée pour rattraper la rime, et dont l'effet est plein de drôlerie tant à cause de l'inattendu que du contraste : la banalité de cette action, accolée aux grands airs du personnage ; 336. Remarquez l'harmonieux balancement du vers : adjectifs au centre et substantifs aux deux bouts ; procédé coutumier aux Parnassiens ; 337. Mots espagnols signifiant « Je tue » ; 338. D'Illyrie ; on dit plutôt « illyrien ». L'Illyrie est la presqu'île qui sépare la Croatie de la Vénétie : l'Istrie. Les « îles illyriaques » désignent l'archipel de Dalmatie ; 339. On désignait par Deux-Siciles le royaume qui recouvrait la Sicile proprement dite (l'île), la Calabre et le royaume de Naples (Campanie).

Depuis lors un « souci » mystérieux le ronge.
Bien que parfois l'amour encor le berce en songe
D'une Napolitaine au beau rire effronté !

J.-M. de Heredia [1871].

LE BON DISCIPLE[340]

Je suis élu, je suis damné !
Un grand souffle inconnu m'entoure.
Ô terreur ! *Pace, Domine*[341] !

Quel Ange dur ainsi me bourre
5   Entre les épaules tandis[342]
Que je m'envole aux Paradis ?

Fièvre adorablement maligne,
Bon délire, benoît effroi,
Je suis martyr et je suis roi,
10   Faucon je plane et je meurs cygne !

Toi le Jaloux qui m'as fait signe,
[Or] me voici, voici tout moi !
Vers toi je rampe encore indigne !
— Monte sur mes reins, et trépigne !

Mai 72.

---

340. Le manuscrit de ce poème très allusif fut saisi par la police dans le portefeuille de Rimbaud. Imprimé pour la première fois dans les *Œuvres posthumes* en 1929 ; 341. Mots latins signifiant « Doucement, Seigneur ! » ; 342. Discrète litote.

Phot. Larousse.

PAUL VERLAINE AU CAFÉ « LA SOURCE »

POÈMES DIVERS

Dédicace manuscrite a Vanier[343]

POUR LA RÉÉDITION DE « LA BONNE CHANSON »

Vanier n'est qu'un imbécile
Qui ne m'aura pas compris
Mais de lui, tâche facile
Et terrible, je souris.

[1891]

Triolets[344]

J'idolâtre François Villon,
Mais être lui, comment donc faire?
C'est un roi du sacré vallon.
J'idolâtre François Villon

5   Et c'est mon maître en Apollon[345].
Mais l'homme, c'est une autre affaire!
J'idolâtre François Villon,
Mais être lui, comment donc faire?

Je m'assimile volontiers
10 Les deux Testaments[346], moi pas bête,
Tels quels, en masse, tout entiers!
Je m'assimile volontiers
Même le jobin[347] (nargue aux tiers!),
Mais trafiquer ès-tels moutiers[348]
15 Des ribaudes[349] n'entre en ma tête.

---

343. Sur l'exemplaire personnel de l'éditeur. On est surpris de la rudesse du ton, comparé aux autres dédicaces que le poète consacra à son éditeur. Réminiscence possible de la brouille consécutive à la « trahison » de Verlaine (étant lié par contrat avec Vanier, le poète avait, en 1888, cédé l'exclusivité de *Bonheur* à l'éditeur Savine). Pourtant, à la mort de Verlaine, ce sera Vanier qui conduira l'enterrement ; **344.** Le triolet est une pièce de huit vers octosyllabes sur deux rimes. Les premier, quatrième et septième vers doivent être les mêmes, et le huitième reprend le second. On voit que Verlaine respecte parfaitement ces règles dans la première partie du poème (= premier triolet). Ensuite, il y va de sa fantaisie ; **345.** Divinité qui préside aux arts, notamment à la poésie et à la musique ; **346.** Allusion aux deux principales œuvres de Villon *le Testament* et le *Petit Testament* (ou *Legs*) ; **347.** *Le jobin* : forme d'un vieux mot, *jobe* ou *jobelin*, qui signifiait « niais, nigaud, jobard » ; **348.** *Es-tels-moutiers* : formule archaïque pour « dans (de) tels monastères ». Allusion à la vie dissipée et peu dévote de Villon ; **349.** *Ribaud* : voir note 265.

> Je m'assimile volontiers
> Les deux Testaments, moi pas bête !

. . . .

> Pour imiter François Villon,
> Un « lingue[350] » dans son pantalon[351]...

[1893 ?]

SOUVENIRS D'HÔPITAL

I

> La vie est si sotte vraiment
> Et le monde si véhément,
> En fait de méchanceté noire,
>
> Qu'à ce prospect[352] sur l'avenir
> Trop prochain et qu'au souvenir
> De toute mon affreuse histoire,
>
> Je préfère enfin l'hôpital,
> Puisque tel est mon lieu fatal
> Et ma sincère raison d'être
> Et le seul bonheur que j'impètre[353].
>
> Oui, je préfère en toute foi
> Cette faveur bien due à moi,
> Que tout repousse loin d'un monde
> Malpropre et d'une vie immonde[354]. **(34)**

5

10

---

350. *Lingue :* mot inconnu. Peut-être une déformation de *lingam,* mot sanscrit désignant le membre viril ; 351. Il semble que ces vers constituent l'une des brèves tentatives que Verlaine fit pour imiter Villon, à titre de jeu, de « littérature funambulesque », comme il dit lui-même en se défendant de vouloir ressembler à Villon (cf. *Ma candidature,* octobre 1893) ; 352. *Ce prospect :* cette vue, cet aspect, ce regard ; 353. *Que j'impètre :* que j'obtiens de l'autorité compétente, c'est-à-dire de l'existence ; 354. Cette pièce paraît avoir été écrite dans les deux ou trois dernières années de sa vie.

— QUESTIONS —

34. Ce texte traduit une réalité physique : n'y a-t-il pas un décalage entre l'authenticité du message et la valeur intrinsèque du poème ?

— Ici le poète de la fatalité l'emporte sur le poète de l'espoir : développez.

— Mettez en relief la charge philosophique de ce poème.

Reçu

Par les mains de Salis[355], cabaretier select,
J'ai, moi, poëte pur, reçu cinquante balles
Qu'il m'a remises, dans un geste si correct,
Qu'il le faut chanter sur le fifre et les timbales
En même temps que le très charmant procédé
De Monsieur de la Souderie, et la gentille
Intention d'A. de Rothschild[356], homme fadé[357]!
Et je signe de ma main, aussi très gentille.

Mardi-Gras, au Chat-Noir.

355. *Rodolphe Salis :* directeur du *Chat-Noir ;* **356.** *Alphonse de Rothschild :* banquier célèbre ; **357.** *Homme fadé :* expression argotique pour « homme comblé ».

DOCUMENTATION THÉMATIQUE

1. Pauvre Lelian et Paul Verlaine :
    1.1. L'enfance d'un poète maudit ;
    1.2. Le témoignage d'une conversion.

2. Verlaine et Rimbaud :
    2.1. L'élan passionnel du benjamin ;
    2.2. Les conséquences d'une discorde.

3. Verlaine en milieu carcéral :
    3.1. Dans la prison de V*** ;
    3.2. Chroniques de l'hôpital ;
    3.3. Un Quatorze-Juillet à l'hôpital.

4. Paul Verlaine et les Ardennes :
    4.1. L'amour du pays ;
    4.2. La description de Rethel et du Rethélois.

5. L'acte de foi de Paul Verlaine.

1. PAUVRE LELIAN ET PAUL VERLAINE

On comparera ce texte autobiographique avec l'esquisse psychologique d'André Genest et avec les *Jugements sur Paul Verlaine*. On constatera que Verlaine fut soustrait aux affres de la misère : sa malédiction, son *goût* pour la poésie se développèrent dans son être le plus profond. Puisse le plus grand nombre admettre que celui qui endosse la déchirure universelle et la rugosité de ses semblables est un maudit : la société — pour un peu qu'il écrive des vers — le baptise volontiers « poète ».

1.1. L'ENFANCE D'UN POÈTE MAUDIT

PAUVRE LELIAN[358]

Ce Maudit-ci aura bien eu la destinée la plus mélancolique, car ce mot doux peut, en somme, caractériser les malheurs de son existence, à cause de la candeur de caractère et de la mollesse, irrémédiable? de cœur qui lui ont fait dire à lui-même, de lui-même, dans son livre *Sapientia,*

> Et puis, surtout, ne va pas t'oublier toi-même,
> Traînassant ta faiblesse et ta simplicité
> Partout où l'on bataille et partout où l'on aime,
> D'une façon si triste et folle en vérité!
>
> . . . .
>
> A-t-on assez puni cette lourde innocence?

Et dans son volume *Charité,* qui vient de paraître :

> J'ai la fureur d'aimer, mon cœur si faible est fou.
>
> . . . .
>
> Je ne puis plus compter les chutes de mon cœur.

et qui furent les éléments uniques, entendez-le bien, de cet orage, sa vie!
Son enfance avait été heureuse.
Des parents exceptionnels, un père exquis, une mère charmante, morts, hélas! le gâtaient en fils unique qu'il était. On l'avait mis toutefois en pension de bonne heure et là commença la déroute. Nous le voyons encore dans sa longue blouse noire, avec sa tête tondue, des doigts dans la bouche, accoudé à la

---

358. Anagramme de Paul Verlaine; dans *les Poètes maudits.*

barrière de séparation de deux cours de récréation, qui pleurait presque au milieu des autres gamins, déjà endurcis, jouant ! Même, le soir, il se sauva et fut reconduit le lendemain, à force de gâteaux et de promesses, dans le « bahut » où, depuis, à son tour, il se « déprava », devint un vilain galopin pas trop méchant, avec de la rêvasserie dans la tête. Ses études étaient indifférentes, et ce fut tant bien que mal qu'il passa son baccalauréat après de vagues succès, en dépit de sa paresse qui n'était, répétons-le, que de la rêvasserie déjà. La postérité saura, si elle s'occupe de lui, que le lycée Bonaparte, depuis Condorcet, puis Fontanes, puis *re*-Condorcet, fut l'établissement où s'usa le fond de ses culottes de garçonnet et d'adolescent. Une inscription ou deux à l'Ecole de droit et passablement de bocks bus dans les *caboulots*[359] de ce temps-là, ébauches des brasseries-à-femmes actuelles, complétèrent ces médiocres humanités. C'est de ce moment qu'il se mit aux vers. Déjà, depuis ses quatorze ans, il avait rimé à mort, faisant des choses vraiment drôles dans le genre obscéno-macabre. Il brûla bien vite, oublia plus vite encore ces essais informes, mais amusants, et publia *Mauvaise Etoile,* peu après que plusieurs pièces de lui eussent pris place dans le premier « Parnasse » à Lemerre. Ce recueil — c'est de *Mauvaise Etoile* que nous entendons parler — eut parmi la presse un joli succès d'hostilité. Mais que faisait au goût de Pauvre Lelian pour la poésie, goût réel, sinon talent déjà hors de page ? Et, un an écoulé, il imprimait *Pour Cythère,* où un progrès très sérieux fut avoué par la critique. Le petit bouquin fit même quelque bruit dans le monde des poètes. Un an après encore, nouvelle plaquette, *Corbeille de noces,* proclamant la grâce et la gentillesse d'une fiancée... Et c'est d'alors que put dater « sa plaie ».

On se souviendra que le style c'est l'homme. On remarquera l'importance que Verlaine attache à la notion d'unité. Il sera intéressant de comparer le catholicisme de Paul Verlaine avec celui de Max Jacob.

1.2. LE TÉMOIGNAGE D'UNE CONVERSION

Au sortir de cette mortelle période parut *Sapientia,* plus haut nommée et citée. Quatre ans auparavant, en plein ouragan, ç'avait été le tour de *Flûte et Cor,* un volume dont on a parlé, depuis, beaucoup, car il contenait plusieurs parties assez nouvelles.

La conversion de Pauvre Lelian au catholicisme, *Sapientia* qui en procédait, et l'apparition ultérieure d'un recueil un peu mélangé, *Avant-hier et hier,* où passablement de notes des

---

359. *Caboulot* : café de dernière zone.

moins austères alternaient avec des poèmes presque trop mystiques, firent, dans le petit monde des vraies Lettres, éclater une polémique courtoise, mais vive. Un poète n'était-il pas libre de tout faire pourvu que tout fût bel et bien fait, ou devait-il se cantonner dans un genre, sous prétexte d'unité ? Interrogé par plusieurs de ses amis sur ce sujet, notre auteur, quelle que soit son horreur native pour ces sortes de consultations, répondit par une assez longue digression, que nos lecteurs liront peut-être non sans intérêt pour sa naïveté.

Voici cette pièce :

« Il est certain que le poète doit, comme tout artiste, après l'intensité, condition héroïque indispensable, chercher l'unité. L'unité de ton (qui n'est pas la monotonie), un style reconnaissable à tel endroit de son œuvre pris indifféremment, des habitudes, des attitudes ; l'unité de pensée aussi, et c'est ici qu'un débat pourrait s'engager. Au lieu d'abstractions, nous allons tout simplement prendre notre poète comme champ de dispute. Son œuvre se tranche, à partir de 1880, en deux portions bien distinctes et le prospectus de ses livres futurs indique qu'il y a chez lui parti pris de continuer ce système et de publier, sinon simultanément (d'ailleurs ceci ne dépend que de convenances éventuelles et sort de la discussion), du moins parallèlement, des ouvrages d'une absolue différence d'idées, — pour bien préciser, des livres où le catholicisme déploie sa logique et ses illécebrances, ses blandices et ses terreurs, et d'autres purement mondains, sensuels avec une affligeante belle humeur et pleins de l'orgueil de la vie. Que devient dans tout ceci, dira-t-on, l'unité de pensée préconisée ?

« Mais elle y est ! Elle y est au titre humain, au titre catholique, ce qui est la même chose à nos yeux. Je crois, et je pèche par pensée comme par action ; je crois, et je me repens par pensée en attendant mieux. Ou bien encore, je crois, et je suis bon chrétien en ce moment ; je crois, et je suis mauvais chrétien l'instant d'après. Le souvenir, l'espoir, l'invocation d'un péché me délectent avec ou sans remords, quelquefois sous la forme même et muni de toutes les conséquences du Péché, plus souvent, tant la chair et le sang sont forts, naturels et *animals,* tels les souvenirs, espoirs et invocations du beau premier libre-penseur. Cette délectation, moi, vous, lui, écrivain, il nous plaît de la coucher sur le papier et de la publier plus ou moins bien ou mal exprimée ; nous la consignons enfin dans la forme littéraire, oubliant toutes idées religieuses ou n'en perdant pas une de vue. De bonne foi, nous condamnera-t-on comme poète ? Cent fois non. Que la conscience du catholique raisonne autrement ou non, ceci ne nous regarde pas.

« Maintenant, les vers catholiques de Pauvre Lelian couvrent-ils littérairement ses autres vers ? Cent fois oui. Le ton est le même dans les deux cas, grave et simple ici, là fiorituré, languide, énervé, rieur et tout ; mais le même ton partout, comme l'Homme mystique et sensuel reste l'homme intellectuel toujours, dans les manifestations diverses d'une même pensée qui a ses hauts et ses bas. Et Pauvre Lelian se trouve très libre de faire nettement des volumes de seule oraison en même temps que des volumes de seule impression, de même que le contraire lui serait des plus permis. »

2. VERLAINE ET RIMBAUD

On prendra témoignage de l'attachement de Rimbaud pour Verlaine. Plus que du style, on tiendra compte de la sincérité du message.

2.1. L'ÉLAN PASSIONNEL DU BENJAMIN

À VERLAINE

Londres, vendredi après-midi.
[4 juillet 1873].

Reviens, reviens, cher ami, seul ami, reviens. Je te jure que je serai bon. Si j'étais maussade avec toi, c'est une plaisanterie où je me suis entêté ; je m'en repens plus qu'on ne peut dire. Reviens, ce sera bien oublié. Quel malheur que tu aies cru à cette plaisanterie. Voilà deux jours que je ne cesse de pleurer. Reviens. Sois courageux, cher ami. Rien n'est perdu. Tu n'as qu'à refaire le voyage. Nous revivrons ici bien courageusement, patiemment. Ah ! je t'en supplie. C'est ton bien d'ailleurs. Reviens, tu retrouveras toutes tes affaires. J'espère que tu sais bien à présent qu'il n'y avait rien de vrai dans notre discussion. L'affreux moment ! Mais toi, quand je te faisais signe de quitter le bateau, pourquoi ne venais-tu pas ? Nous avons vécu deux ans ensemble pour arriver à cette heure-là ! Que vas-tu faire ? Si tu ne veux pas revenir ici, veux-tu que j'aille te trouver où tu es ?

Oui, c'est moi qui ai eu tort.
Oh ! tu ne m'oublieras pas, dis ?
Non, tu ne peux pas m'oublier.
Moi, je t'ai toujours là.

Dis, réponds à ton ami, est-ce que nous ne devons plus vivre ensemble ?

Sois courageux. Réponds-moi vite.
Je ne puis rester ici plus longtemps.

N'écoute que ton bon cœur.
Vite, dis si je dois te rejoindre.
A toi toute la vie.

RIMBAUD.

Vite, réponds : je ne puis rester ici plus tard que lundi soir.
Je n'ai pas encore un penny ; je ne puis mettre ça à la poste.
J'ai confié à *Vermersch* tes livres et tes manuscrits.
Si je ne dois plus te revoir, je m'engagerai dans la marine
ou l'armée.
Ô reviens, à toutes les heures je repleure. Dis-moi de te
retrouver, j'irai. Dis-le-moi, télégraphie-moi. — Il faut que
je parte lundi soir. Où vas-tu ? Que veux-tu faire ?

À VERLAINE

[*Londres, 5 juillet 1873*].

Cher ami,

J'ai ta lettre datée « En mer ». Tu as tort, cette fois et très
tort. D'abord, rien de positif dans ta lettre. Ta femme ne
viendra pas, ou viendra dans trois mois, trois ans, que sais-je ?
Quant à claquer, je te connais ! Tu vas donc, en attendant
ta femme et ta mort, te démener, errer, ennuyer des gens.
Quoi ? toi, tu n'as pas encore reconnu que les colères étaient
aussi fausses d'un côté que de l'autre ! Mais c'est toi qui
aurais les derniers torts, puisque, même après que je t'ai
rappelé, tu as persisté dans tes faux sentiments. Crois-tu que
ta vie sera plus agréable avec d'autres que moi ? *Réfléchis-y !*
— Ah ! certes non !
Avec moi seul tu peux être libre, et, puisque je te jure d'être
gentil à l'avenir, que je déplore toute ma part de torts, que
j'ai enfin l'esprit net, que je t'aime bien, si tu ne veux pas
revenir, ou que je te rejoigne, tu fais un crime, et *tu t'en
repentiras de* LONGUES ANNÉES *par la perte de toute liberté,
et des ennuis plus atroces* peut-être que tous ceux que tu as
éprouvés. Après ça, resonge à ce que tu étais avant de me
connaître !
Quant à moi, je ne rentre pas chez ma mère. Je vais à Paris.
Je tâcherai d'être parti lundi soir. Tu m'auras forcé à vendre
tous tes habits, je ne puis faire autrement. Ils ne sont pas
encore vendus : ce n'est que lundi matin qu'on me les empor-
terait. Si tu veux m'adresser des lettres à Paris, envoie à
L. Forain, 289, rue Saint-Jacques (pour A. Rimbaud). Il
saura mon adresse.
Certes, si ta femme revient, je ne te compromettrai pas en
t'écrivant, — je n'écrirai jamais.
Le seul vrai mot, c'est : reviens. Je veux être avec toi, je

t'aime. Si tu écoutes cela, tu montreras du courage et un esprit sincère.

Autrement, je te plains.

Mais je t'aime, je t'embrasse et nous nous reverrons.

RIMBAUD.

8 Great colle, *etc...* jusqu'à lundi soir, — ou mardi à midi, si tu m'appelles.

Au-delà de l'intérêt strictement documentaire de ces textes, vous vous attacherez à l'étude du mécanisme psychologique de Rimbaud.

2.2. LES CONSÉQUENCES D'UNE DISCORDE

DÉCLARATION DE RIMBAUD AU COMMISSAIRE DE POLICE

10 juillet 1873 (vers 8 heures du soir).

Depuis un an, j'habite Londres avec le sieur Verlaine. Nous faisions des correspondances pour les journaux et donnions des leçons de français. Sa société était devenue impossible, et j'avais manifesté le désir de retourner à Paris.

Il y a quatre jours, il m'a quitté pour venir à Bruxelles et m'a envoyé un télégramme pour venir le rejoindre. Je suis arrivé depuis deux jours, et suis allé me loger avec lui et sa mère, rue des Brasseurs, n° 1. Je manifestais toujours le désir de retourner à Paris. Il me répondait :

« Oui, pars, et tu verras ! »

Ce matin, il est allé acheter un revolver au passage des Galeries Saint-Hubert, qu'il m'a montré à son retour, vers midi. Nous sommes allés ensuite à la Maison des Brasseurs, Grand'Place, où nous avons continué à causer de mon départ. Rentrés au logement vers deux heures, il a fermé la porte à clef, s'est assis devant ; puis, armant son revolver, il en a tiré deux coups en disant :

« Tiens ! Je t'apprendrai à vouloir partir ! »

Ces coups de feu ont été tirés à trois mètres de distance ; le premier m'a blessé au poignet gauche, le second ne m'a pas atteint. Sa mère était présente et m'a porté les premiers soins. Je me suis rendu ensuite à l'Hôpital Saint-Jean, où l'on m'a pansé. J'étais accompagné par Verlaine et sa mère. Le pansement fini, nous sommes revenus tous trois à la maison. Verlaine me disait toujours de ne pas le quitter et de rester avec lui ; mais je n'ai pas voulu consentir et suis parti vers sept heures du soir, accompagné de Verlaine et de sa mère. Arrivé aux environs de la Place Rouppe, Verlaine m'a devancé de quelques pas, puis il est revenu vers moi : je l'ai vu mettre sa main en poche pour saisir son revolver ; j'ai fait demi-tour et suis revenu sur mes pas. J'ai rencontré l'agent de police à qui j'ai fait part de ce qui m'était arrivé et qui a invité Verlaine à le suivre au bureau de police.

Si ce dernier m'avait laissé partir librement, je n'aurais pas porté plainte à sa charge pour la blessure qu'il m'a faite.

A. RIMBAUD.

DÉCLARATION DE MADAME VERLAINE AU COMMISSAIRE DE POLICE

Depuis deux ans environ, le sieur Rimbaud vit aux dépens de mon fils, lequel a à se plaindre de son caractère acariâtre et méchant : il l'a connu à Paris, puis à Londres. Mon fils est venu à Bruxelles il y a quatre jours. A peine arrivé, il a reçu une lettre de Rimbaud, afin de pouvoir venir l'y rejoindre. Il y a répondu affirmativement par dépêche télégraphique, et Rimbaud est venu loger avec nous depuis deux jours. Ce matin, mon fils, qui a l'intention de voyager, a fait l'achat d'un revolver. Après la promenade, ils sont rentrés à la maison vers deux heures. Une discussion s'est élevée entre eux. Mon fils a saisi son revolver et en a tiré deux coups sur son ami Rimbaud : le premier l'a blessé au bras gauche, le second n'a pas été tiré sur lui. Néanmoins, nous n'avons pas trouvé les balles. Après avoir été pansé à l'Hôpital Saint-Jean, Rimbaud témoignant le désir de retourner à Paris, je lui ai donné vingt francs, parce qu'il n'avait pas d'argent. Puis, nous sommes allés pour le reconduire à la gare du Midi, lorsqu'il s'est adressé à l'agent de police pour faire arrêter mon fils, qui n'avait pas de rancune contre lui et avait agi dans un moment d'égarement.

DÉCLARATION DE VERLAINE AU COMMISSAIRE DE POLICE

10 juillet 1873.

Je suis arrivé à Bruxelles depuis quatre jours, malheureux et désespéré. Je connais Rimbaud depuis plus d'une année. J'ai vécu avec lui à Londres, que j'ai quitté depuis quatre jours pour venir habiter Bruxelles, afin d'être plus près de mes affaires, plaidant en séparation avec ma femme habitant Paris, laquelle prétend que j'ai des relations immorales avec Rimbaud.

J'ai écrit à ma femme que si elle ne venait pas me rejoindre dans les trois jours je me brûlerais la cervelle ; et c'est dans ce but que j'ai acheté le revolver ce matin au passage des Galeries Saint-Hubert, avec la gaine et une boîte de capsules, pour la somme de 23 francs.

Depuis mon arrivée à Bruxelles, j'ai reçu une lettre de Rimbaud qui me demandait de venir me rejoindre. Je lui ai envoyé un télégramme disant que je l'attendais; et il est arrivé il y a deux jours. Aujourd'hui, me voyant malheureux, il a voulu me quitter. J'ai cédé à un moment de folie et j'ai tiré sur lui. Il n'a pas porté plainte à ce moment. Je me suis rendu avec lui et ma mère à l'Hôpital Saint-Jean pour le faire panser et nous sommes revenus ensemble. Rimbaud voulait partir à toute force. Ma mère lui a donné vingt francs pour son voyage; et c'est en le conduisant à la gare qu'il a prétendu que je voulais le tuer.

P. VERLAINE.

INTERROGATOIRE DE VERLAINE
PAR LE JUGE D'INSTRUCTION

11 juillet 1873.

DEMANDE. — N'avez-vous jamais été condamné?

RÉPONSE. — Non.

Je ne sais pas au juste ce qui s'est passé dans la journée d'hier. J'avais écrit à ma femme qui habite à Paris de venir me rejoindre, elle ne m'a pas répondu. D'autre part, un ami auquel je tiens beaucoup était venu me rejoindre à Bruxelles depuis deux jours et voulait me quitter pour retourner en France. Tout cela m'a jeté dans le désespoir; j'ai acheté un revolver dans l'intention de me tuer. En rentrant à mon logement, j'ai eu une discussion avec cet ami : malgré mes instances, il voulait me quitter; dans mon délire, je lui ai tiré un coup de pistolet qui l'a atteint à la main. J'ai alors laissé tomber le revolver, et le second coup est parti accidentellement. J'ai eu immédiatement le plus vif remords de ce que j'avais fait; ma mère et moi nous avons conduit Rimbaud à l'Hôpital pour le faire panser; la blessure était sans importance. Malgré mon insistance, il a persisté dans sa résolution de retourner en France. Hier soir, nous l'avons conduit à la gare du Midi. Chemin faisant, je renouvelai mes instances; je me suis même placé devant lui, comme pour l'empêcher de continuer sa route, et je l'ai menacé de me brûler la cervelle; il a compris peut-être que je le menaçais lui-même, mais ce n'était pas mon intention.

DEMANDE. — Quel est le motif de votre présence à Bruxelles?

RÉPONSE. — J'espérais que ma femme serait venue m'y rejoindre, comme elle était déjà venue précédemment depuis notre séparation.

D. — Je ne comprends pas que le départ d'un ami ait pu vous jeter dans le désespoir. N'existe-t-il pas entre vous et Rimbaud d'autres relations que celles de l'amitié ?

R. — Non ; c'est une calomnie qui a été inventée par ma femme et sa famille pour me nuire ; on m'accuse de cela dans la requête présentée au tribunal par ma femme à l'appui de sa demande de séparation.

Lecture faite, persiste et signe :

P. VERLAINE, TH. T'SERSTEVENS, C. LIGOUR.

DÉPOSITION DE RIMBAUD
DEVANT LE JUGE D'INSTRUCTION

12 juillet 1873.

J'ai fait, il y a deux ans environ, la connaissance de Verlaine à Paris. L'année dernière, à la suite de dissentiments avec sa femme et la famille de celle-ci, il me proposa d'aller avec lui à l'étranger ; nous devions gagner notre vie d'une manière ou d'une autre, car moi je n'ai aucune fortune personnelle, et Verlaine n'a que le produit de son travail et quelque argent que lui donne sa mère. Nous sommes venus ensemble à Bruxelles au mois de juillet de l'année dernière ; nous y avons séjourné pendant deux mois environ ; voyant qu'il n'y avait rien à faire pour nous dans cette ville, nous sommes allés à Londres. Nous y avons vécu ensemble jusque dans ces derniers temps, occupant le même logement et mettant tout en commun. A la suite d'une discussion que nous avons eue au commencement de la semaine dernière, discussion née des reproches que je lui faisais sur son indolence et sa manière d'agir à l'égard des personnes de nos connaissances, Verlaine me quitta presque à l'improviste, sans même me faire connaître le lieu où il se rendait. Je supposai cependant qu'il se rendait à Bruxelles, ou qu'il y passerait, car il avait pris le bateau d'Anvers. Je reçus ensuite de lui une lettre datée « *En mer* », que je vous remettrai, dans laquelle il m'annonçait qu'il allait rappeler sa femme auprès de lui, et que si elle ne répondait pas à son appel dans trois jours, il se tuerait ; il me disait aussi de lui écrire poste restante à Bruxelles. Je lui écrivis ensuite deux lettres dans lesquelles je lui demandais de revenir à Londres ou de consentir à ce que j'allasse le rejoindre à Bruxelles. C'est alors qu'il m'envoya un télégramme pour venir ici, à Bruxelles. Je désirais nous réunir de nouveau, parce que nous n'avions aucun motif de nous séparer.
Je quittai donc Londres ; j'arrivai à Bruxelles mardi matin, et je rejoignis Verlaine. Sa mère était avec lui. Il n'avait aucun

projet déterminé : il ne voulait pas rester à Bruxelles, parce qu'il craignait qu'il n'y eût rien à faire dans cette ville ; moi, de mon côté, je ne voulais pas consentir à retourner à Londres, comme il me le proposait, parce que notre départ devait avoir produit un trop fâcheux effet dans l'esprit de nos amis, et je résolus de retourner à Paris. Tantôt Verlaine manifestait l'intention de m'y accompagner, pour aller, comme il le disait, faire justice de sa femme et de ses beaux-parents ; tantôt il refusait de m'accompagner, parce que Paris lui rappelait de trop tristes souvenirs. Il était dans un état d'exaltation très grande. Cependant il insistait beaucoup auprès de moi pour que je restasse avec lui : tantôt il était désespéré, tantôt il entrait en fureur. Il n'y avait aucune suite dans ses idées. Mercredi soir, il but outre mesure et s'enivra. Jeudi matin, il sortit à six heures ; il ne rentra que vers midi ; il était de nouveau en état d'ivresse, il me montra un pistolet qu'il avait acheté, et quand je lui demandai ce qu'il comptait en faire, il répondit en plaisantant : « C'est pour vous, pour moi, pour tout le monde ! » Il était fort surexcité.

Pendant que nous étions ensemble dans notre chambre, il descendit encore plusieurs fois pour boire des liqueurs ; il voulait toujours m'empêcher d'exécuter mon projet de retourner à Paris. Je restai inébranlable. Je demandai même de l'argent à sa mère pour faire le voyage. Alors, à un moment donné, il ferma à clef la porte de la chambre donnant sur le palier et il s'assit sur une chaise contre cette porte. J'étais debout, adossé contre le mur d'en face. Il me dit alors : « Voilà pour toi, puisque tu pars ! » ou quelque chose dans ce sens ; il dirigea son pistolet sur moi et m'en lâcha un coup qui m'atteignit au poignet gauche ; le premier coup fut presque instantanément suivi d'un second, mais cette fois l'arme n'était plus dirigée vers moi, mais abaissée vers le plancher.

Verlaine exprima immédiatement le plus vif désespoir de ce qu'il avait fait ; il se précipita dans la chambre contiguë occupée par sa mère, et se jeta sur le lit. Il était comme fou : il me mit son pistolet entre les mains et m'engagea à le lui décharger sur la tempe. Son attitude était celle d'un profond regret de ce qui lui était arrivé.

Vers cinq heures du soir, sa mère et lui me conduisirent ici pour me faire panser. Revenus à l'hôtel, Verlaine et sa mère me proposèrent de rester avec eux pour me soigner, ou de retourner à l'hôpital jusqu'à guérison complète. La blessure me paraissait peu grave, je manifestai l'intention de me rendre le soir même en France, à Charleville, auprès de ma mère. Cette nouvelle jeta Verlaine de nouveau dans le désespoir. Sa mère me remit vingt francs pour faire le voyage, et ils sortirent avec moi pour m'accompagner à la gare du Midi.

Verlaine était comme fou. Il mit tout en œuvre pour me retenir ; d'autre part, il avait constamment la main dans la poche de son habit où était son pistolet. Arrivés à la place Rouppe, il nous devança de quelques pas, et puis il revint sur moi. Son attitude me faisait craindre qu'il ne se livrât à de nouveaux excès. Je me retournai et je pris la fuite en courant. C'est alors que je priai un agent de police de l'arrêter.

La balle dont j'ai été atteint à la main n'est pas encore extraite : le docteur d'ici m'a dit qu'elle ne pourrait l'être que dans deux ou trois jours.

DEMANDE. — De quoi viviez-vous à Londres ?

RÉPONSE. — Principalement de l'argent que Madame Verlaine envoyait à son fils. Nous avions aussi des leçons de français que nous donnions ensemble, mais ces leçons ne nous rapportaient pas grand'chose, une douzaine de francs par semaine, vers la fin.

D. — Connaissez-vous le motif des dissentiments de Verlaine et de sa femme ?

R. — Verlaine ne voulait pas que sa femme continuât d'habiter chez son père.

D. — N'invoque-t-elle pas aussi comme grief votre intimité avec Verlaine ?

R. — Oui, elle nous accuse même de relations immorales ; mais je ne veux pas me donner la peine de démentir de pareilles calomnies.

Lecture faite, persiste et signe :

A. RIMBAUD, TH. T'SERSTEVENS, C. LIGOUR.

NOUVEL INTERROGATOIRE DE VERLAINE

18 juillet 1873.

Je ne peux pas vous en dire davantage que dans mon premier interrogatoire sur le mobile de l'attentat que j'ai commis sur Rimbaud. J'étais en ce moment en état d'ivresse complète, je n'avais plus ma raison à moi. Il est vrai que sur les conseils de mon ami Mourot, j'avais un instant renoncé à mon projet de suicide ; j'avais résolu de m'engager comme volontaire dans l'armée espagnole ; mais, une démarche que je fis à cet effet à l'ambassade espagnole n'ayant pas abouti, mes idées de suicide me reprirent. C'est dans cette disposition d'esprit que dans la matinée du jeudi j'ai acheté mon revolver. J'ai chargé mon arme dans un estaminet de la rue des Chartreux ; j'étais allé dans cette rue pour rendre visite à mon ami.

Je ne me souviens pas d'avoir eu avec Rimbaud une discussion irritante qui pourrait expliquer l'acte qu'on me reproche. Ma mère que j'ai vue depuis mon arrestation m'a dit que j'avais songé à me rendre à Paris pour faire auprès de ma femme une dernière tentative de réconciliation, et que je désirais que Rimbaud ne m'accompagnât pas ; mais je n'ai personnellement aucun souvenir de cela. Du reste, pendant les jours qui ont précédé l'attentat, mes idées n'avaient pas de suite et manquaient complètement de logique.

Si j'ai rappelé Rimbaud par télégramme, ce n'était pas pour vivre de nouveau avec lui ; au moment d'envoyer ce télégramme, j'avais l'intention de m'engager dans l'armée espagnole ; c'était plutôt pour lui faire mes adieux.

Je me souviens que dans la soirée du jeudi, je me suis efforcé de retenir Rimbaud à Bruxelles ; mais, en le faisant, j'obéissais à des sentiments de regrets et au désir de lui témoigner par mon attitude à son égard qu'il n'y avait eu rien de volontaire dans l'acte que j'avais commis. Je tenais en outre à ce qu'il fût complètement guéri de sa blessure avant de retourner en France.

Lecture faite, persiste et signe :

P. VERLAINE, TH. T'SERSTEVENS, C. LIGOUR.

NOUVELLE DÉPOSITION DE RIMBAUD

18 juillet 1873.

Je persiste dans les déclarations que je vous ai faites précédemment, c'est-à-dire qu'avant de me tirer un coup de revolver, Verlaine avait fait toutes sortes d'instances auprès de moi pour me retenir avec lui. Il est vrai qu'à un certain moment il a manifesté l'intention de se rendre à Paris pour faire une tentative de réconciliation auprès de sa femme, et qu'il voulait m'empêcher de l'y accompagner ; mais il changeait d'idée à chaque instant, il ne s'arrêtait à aucun projet. Aussi, je ne puis trouver aucun mobile sérieux à l'attentat qu'il a commis sur moi. Du reste, sa raison était complètement égarée : il était en état d'ivresse, il avait bu dans la matinée, comme il a du reste l'habitude de le faire quand il est livré à lui-même.

On m'a extrait hier de la main la balle de revolver qui m'a blessé : le médecin m'a dit que dans trois ou quatre jours ma blessure serait guérie.

Je compte retourner en France, chez ma mère, qui habite Charleville.

Lecture faite, persiste et signe :

A. RIMBAUD, TH. T'SERSTEVENS, C. LIGOUR.

ACTE DE RENONCIATION DE RIMBAUD

Samedi 19 juillet 1873.

Je soussigné Arthur Rimbaud, 19 ans, homme de lettres, demeurant ordinairement à Charleville (Ardennes, France), déclare, pour rendre hommage à la vérité, que le jeudi 10 courant, vers deux heures, au moment où M. Paul Verlaine, dans la chambre de sa mère, a tiré sur moi un coup de revolver qui m'a blessé légèrement au poignet gauche, M. Verlaine était dans un tel état d'ivresse qu'il n'avait point conscience de son action ;

Que je suis intimement persuadé qu'en achetant cette arme, M. Verlaine n'avait aucune intention hostile contre moi, et qu'il n'y avait point de préméditation criminelle dans l'acte de fermer la porte à clef sur nous ;

Que la cause de l'ivresse de M. Verlaine tenait simplement à l'idée de ses contrariétés avec Madame Verlaine, sa femme.

Je déclare, en outre, lui offrir volontiers et consentir à ma renonciation pure et simple à toute action criminelle, correctionnelle et civile, et me désiste dès aujourd'hui des bénéfices de toute poursuite qui serait ou pourrait être intentée par le Ministère public contre M. Verlaine, pour le fait dont il s'agit.

A. RIMBAUD.

3. PAUL VERLAINE EN MILIEU CARCÉRAL

Vous apprécierez la simplicité avec laquelle Verlaine nous décrit l'une de ses prisons.

3.1. DANS LA PRISON DE V***

La prison de V***[360] est toute petite : les barreaux sont de bois peint en noir. On jouait au bouchon avec le gardien-chef. On y reste peu, un mois juste avec un jour de plus, je crois, quand la peine doit se prolonger ailleurs. Il y avait de mon temps un corbeau familier, ennemi rauque des peu mélodieux chats de l'établissement, qui, par suite d'incongruités dans les baquets où coulaient les lessives, fut tué d'un coup de carabine par le « patron » et fit d'excellent bouillon. J'ai raconté le fait en détail dans mes *Mémoires d'un Veuf*. Dans cette prison si bonhomme j'étais chargé du ménage, épousseter, balayer. A ce propos le gardien-chef me dit un jour que j'avais mal « faite l'ouvrache », l'homme était du Nord,

---

360. Vouziers.

et il ajouta que j'étais plus fort sur l'écriture que sur la peinture.

(Il est bon de dire que j'avais dans le pays une réputation déjà « d'écrivain ».)

J'étais aussi prié tous les soirs de réciter au dortoir le *Pater Noster* et l'*Ave Maria,* — et il paraît que je m'en acquittais bien mieux que mon prédécesseur dans cet emploi. Parbleu ! Et sans trop de peine, vraiment.

Un aumônier venu de Falaise, un village voisin dont il est question dans la *Débâcle* d'Emile Zola, et qui avait été missionnaire en Chine, enterré vivant, nous disait la messe tous les dimanches. Son sermon hebdomadaire, plein d'anecdotes et très gentil, dans ce joli accent un peu anglais des Ardennes, se concluait par une poignée de main à travers des barreaux, de bois comme les autres, aux quelques trois ou quatre prisonniers que nous étions.

Cela dura donc un mois au bout duquel, mon amende (500 francs !) étant payée, je sortis en compagnie du gardien-chef avec qui je bus quelques bouteilles d'un certain petit vin de Voucq dont je ne vous dis que ça, dans un cabaret à côté qui s'appelait *Au bon coin* et méritait cette dénomination[361].

3.2. CHRONIQUES DE L'HÔPITAL

Quinzaine et semaine où les poètes auront fait parler d'eux, de diverse façon, suivant leur habitude : jeunes poètes primés par des vieux (moyennant l'intermédiaire, s'il vous plaît, d'un journal boulevardier), un vrai poète décoré ! un autre, ironique et comme vengé d'avance, celui-là, mort à l'hôpital, et... le nom d'un poète mort à l'hôpital donné à une rue de Paris, en vertu d'une délibération du Conseil municipal de la « Ville Lumière » !

La presse a dignement parlé de Maurice Mac-Nab[362], si original et si regretté : d'autre part, la littérature entière applaudit à la distinction dont se voit l'objet Maurice Bouchor[363], l'auteur de tant d'œuvres charmantes et profondes, et les Benjamins du Parnassianisme distingués par leurs frères très aînés sont tout naturellement fiers de la marque de satisfaction autant que joyeux de l'aubaine aurifère. Aussi laisserai-je à leur bonheur ces dignes éphèbes et le public compétent à sa légitime satisfaction en face du décret honorant le bon barde de l'*Aurore* et des *Symboles,* et ne m'occuperai-je, en cette première *Chronique de l'Hôpital,* que de la rue Hégésippe-Moreau[364].

---

361. *Mes prisons ; Œuvres complètes* (Paris, Messein éd., 1949), tome IV ; 362. *Maurice Mac-Nab :* chansonnier ; 363. *Maurice Bouchor :* poète très prolixe et très en vue du temps de Verlaine ; 364. Poète maudit d'un talent très sûr.

« Rue nouvelle », porte le document officiel. Et bravo! Un nom de poète, surtout un homme comme celui-ci, sentant bon la grâce et la jeunesse coupées en leur fleur, ne pouvait décemment remplacer tel banal ou trivial écriteau de voie publique. Et quant à une illustre ou traditionnelle dénomination qu'il se fût agi de débaptiser en sa faveur, ç'a été une bonne pensée que de n'y pas faire servir la mémoire d'un esprit charmant qu'eût désolé le soupçon même d'une pareille brutalité...

Hégésippe Moreau, figure un peu effacée de nos jours, fut un poète, en somme, indépendant de toute école. Sans doute, ses vers, pour la plupart, se ressentent quelque peu, par une sorte d'incohérence, de l'influence du milieu de lettres où il vécut. Mais comment faire, pour un jeune contemporain de tant de gloires souvent contradictoires? Et l'on peut déplorer son romantisme, ressortissant plutôt de Barthélemy[365] et de Méry[366] que des grands maîtres, et ses trop nombreuses assez faibles imitations du vieux Béranger[367]; mais *la Voulzie, Un quart d'heure de dévotion, la Fermière, Jean de Paris,* d'autres poèmes encore, frais, généreux, d'une langue agile et ferme tout à la fois; enfin, les *Contes à ma sœur,* d'une si rare chasteté, d'une délicatesse plus rare encore, s'il est possible, sont des choses qui resteront et qui suffisent amplement à préserver le souriant et douloureux souvenir du pauvre Hégésippe.

Sainte-Beuve l'aima et l'apprécia, Félix Pyat[368] sut trouver pour sa louange des accents éloquents qui feront pardonner au farouche révolutionnaire, — un grand écrivain déclamatoire, mais combien intuitivement artiste! — trop d'hérésies, et que de torts esthétiques! Baudelaire fit bien quelques objections beaucoup trop sévères, selon mon humble avis, aux hommages dont son nom était déjà l'objet de son temps. Il lui reproche, entre autres griefs, de tomber dans la « démocrocratie » et va jusqu'à le traiter gravement de « mauvais garçon », oubliant que Villon, pour avoir été le pire des voyous, n'en demeure pas moins notre Père et notre Maître à tous; oubliant aussi que la vie ne lui fut pas toute rose pour cette nature ardente et délicate, dès lors aisément irritable. Quant à sa mort à l'hôpital, permettez-moi de ne pas la déplorer plus que de droit. *Experto crede Roberto*[369] : la société, sous quelque régime politique que ce soit, — lisez *Stello!* — n'est pas pour glorifier les poètes, qui, souvent, vont à l'encontre, sinon toujours, de ses lois positives, du moins très fréquemment de ses usages les plus impérieux, bons ou mauvais, plutôt mauvais, je l'accorde. Alors,

---

365. Poète mineur; **366.** Poète et romancier; **367.** Poète et chansonnier; **368.** Écrivain et homme politique; **369.** « Fie-toi à l'expérience de Robert »; latinisme.

> « Et pourquoi, si j'ai contristé
>   Ton vœu têtu.
>   Société,
>   Me choierais-tu ? »

comme a dit un *mauvais garçon* aussi, qui serait moi, paraît-il.

Et, par contre, le poète, pourtant avide de luxe et de bien-être, autant, sinon plus que qui que ce soit, tient sa liberté à un plus haut prix que même le confortable, que même l'aisance d'un chacun, qu'achèterait la moindre concession aux coutumes de la foule. De sorte que l'hôpital, au bout de sa course terrestre, ne peut pas plus l'effrayer que l'ambulance le soldat, ou le martyre le missionnaire ! Même c'est la fin logique d'une carrière illogique aux yeux du vulgaire, j'ajouterais presque, la fin fière et qu'il faut !

Hégésippe Moreau ne fit que continuer une tradition qui est loin de passer de mode. Hélas ! ne lisais-je pas ces jours-ci, dans une belle chronique de Jean Lorrain, de tragiques détails sur la mort récente de deux poètes slaves ? Et qui sait ce que réserve l'avenir à cette longue liste d'illustres misérables qui part d'Homère ? Le mot de l'Evangile, — pour parler de si haut, — est surtout vrai en ce qui concerne la gent légère que Platon exilait couronnée de roses : « Il y aura toujours des pauvres parmi vous. »

Vous constaterez que cette *chronique,* qui se situe bien en marge du contexte de l'hôpital, est un exutoire qui permet au poète de gambader sur la scène littéraire de son temps.

C'est pourquoi, sans ironie aucune, il sied de féliciter nos « édiles », qui ne sont pas toujours aussi bien inspirés, de leur dernière décision. Les difficiles, qui ne sont pas toujours les délicats, pourraient souhaiter qu'on prît chez nos puissants des mesures pour que les poètes meurent moins de faim, quittes à ne pas, longtemps d'ailleurs après décès, briller en caractères blancs sur des plaques bleues au coin d'immeubles de rapport.

Mais, d'abord, le moyen ? Puis, c'est en réalité, — la publicité posthume sur faïence municipale, — tout ce qu'on peut faire pour nous, après nous avoir hébergés ni plus ni moins mal que d'autres déshérités aussi intéressants, somme toute, et n'est-ce pas déjà gentil pour des chercheurs de renommée ?

Mais c'est égal, on eût bien surpris (et encore qui sait ?) Hégésippe Moreau en lui prédisant cette tardive apothéose, presque autant, je gage (et encore, en suis-je bien sûr ?), qu'on me stupéfierait si l'on venait m'annoncer, pour des temps que Dieu sait, une rue.

3.3. UN QUATORZE-JUILLET À L'HÔPITAL

Verlaine nous offre une fresque de patriote :

Dire que c'est, depuis novembre 86, le troisième Quatorze-Juillet que je vais passer à l'hôpital ! Sans être d'une orthodoxie républicaine par trop irréprochable, j'avoue que « j'adore assez », comme dit Banville, cette fête et ses rites : bals amusants, assez décents, puisque en pleine place publique comme au village, surtout à l'aube et à l'aurore, au son des orgues de Barbarie remplaçant les orchestres éreintés et couchés ; revue de gamins, toujours gentille, apéritif drôlet de la grande revue déjà traditionnelle et légendaire de Longchamps, que je constate avec joie « suivie » de plus en plus par une population, au fond, militaire et plus patriotique qu'on ne le croit à l'étranger et chez nous autres pétrousquins.

Et puis, — l'anniversaire célébré, un peu absurde tout de même, n'est pas pour me déplaire complètement. Ce jour-là, le peuple commit sa première gaffe en détruisant une prison *pour nobles,* — mais aussi son premier acte de foi, rendu plus sacré, plus cordial encore par l'esprit naïf de désintéressement sans pair qui y présida. On objectera bien l'héroïsme relatif de ces vainqueurs de quelques *invalos*[370] et leur magnanimité contestable après la capitulation. N'importe ! le plus grand privilège royal, le seul vraiment odieux peut-être, était renversé, la lettre de cachet jetée au panier par le seul fait de la défaite de cette forteresse du bon plaisir moyen-âgeux ou bien plutôt Renaissance — car rappelons-nous, entre autres souvenirs du lycée, que c'est François Ier qui mit la royauté « hors de page », la Révolution, enfin, inaugurée bien moins grâce à un épisode brutal, banal au fond, qu'à l'aide du symbolisme (c'est vraiment le mot), du symbolisme inconscient d'une foule sublimifiée par les conjonctures.

Mais notre peuple actuel, bien moins symboliste que décadent, pour emprunter à nos querelles de mots, pendant qu'il en est peut-être temps encore, son vocabulaire très éphémère, je le crains, se moque, bien entendu, de ces considérations ; et ce qu'il a raison !

Et, gamins ! en avant l'artillerie ? Où est le temps quand, vers la colonne de Juillet, dans cette cour Saint-François, tous ou presque tous les gosses de la rue, riches de mes sous prodigués, incendiaient le trottoir et la chaussée de pétards et de fusées, et le ciel de chandelles romaines, et les murs de *soleils,* suscitaient d'entre les pavés, de dessus les rebords de fenêtres, des rez-de-chaussée et d'un peu partout, de facétieux étrons de

---

370. Terme argotique : invalide.

Suisse, en mêlant de suraigus *Vive Mossieu Paul!* aux *Vive la République!* de rigueur.

Et, gamins! en avant les rondes et les « ballons » et les « fromages », et les *Une poule sur un mur, Su' l' pont du Gard un bal y est donné, C'est les chevaliers du guet!*...

Et, tout le monde! en avant deux!

Les bons sergents de ville fument leur bouffarde sous le nez indulgent, ce jour-là, des sous-brigadiers, savourant eux-mêmes crapulos et deussoutados. Les bons ivrognes festonnent et chantonnent, en dépit des « vaches » non enragées par cette annuelle exception. Un air sincère de fraternité un tantinet gouailleuse, très gouailleuse, par exemple, flotte, on dirait, dans les plis des drapeaux et semble descendre d'eux dans l'âme des passants. C'est superbe et presque touchant, R. F., bénéficiant, ce jour-là, de la bride laissée sur le cou du brave populo, se redresse, se rebiffe, comme on dit au régiment, se sent jeune de ses vingt ans, de sénile que la faisait hier cette même puberté, et peut se croire aussi populaire pour un peu que feu « Badingue » au temps jadis, et que ce « Boulange » assez salement lâché d'ailleurs, au temps naguère.

Mais, à nous autres, les embastillés de la Mistoufle et du Bobo, cette R. F., toute fière, toute joyeuse, pensa-t-elle au moins un peu à nous, ses pauvres? Hem, hem! « Mon guieu voui! » sous les espèces d'une double ration de vin; total une chopine pour « les malades bien portants », et d'un gâteau de deux ou trois sous, éclair, baba, tartelette; puis, le soir, retraite (pas aux flambeaux) à neuf au lieu de huit, et permission de chanter s'il nous plaît. Et alors ce sont des *Noël* (hélas! d'Adam), des *Rameaux* (de Faure, holà!), car le Parisien, le faubourien n'est pas si sceptique qu'il ne « gobe », jusqu'au vrai exclusivement, les « airs d'église », et des *Petits pinsons*, des *Carmen, vous n'avez pas d'âme*; car, aussi, le faubourien, le rôdeur donnent dans l'élégie et coupent peu dans la politique (bonne pour quelques vieilles barbes de soixante et onze) ou dans la blague, qui semblerait dévolue aux couches un peu plus aisées, sinon beaucoup plus intellectuelles du bourgeois en herbe, l'étudiant et l'artiste en fleur, potache et rapin ou saute-ruisseau, ou bohémaillon.

L'enthousiasme, et c'est tout naturel, est assez restreint, il faut, aussi bien, l'avouer. Pourtant il éclate, dans certaines zones, en guirlandes tricolores de papier ingénieusement comme tressées, en écussons bleu, blanc, rouge avec, en jaune d'or, les initiales obligées; le tout, fruit d'une souscription depuis un sou. Ce, au nord de Paris (je ne parle que de ce que j'ai vu, du Nord sérieusement démocratique, Belleville, Ménilmontant). Au Sud, faubourg Saint-Jacques, Montrouge, calme plat, rien. Mais, dans un de « mes » hôpitaux vers ces régions, les malades, si froids (en apparence), je l'espère, car les sentiments profonds sont jaloux et discrets, à l'égard de notre forme actuelle de gouvernement, s'épanchent en manifestations reconnaissantes et respectueuses envers leur chef de service, l'illustre et vénéré D^r..., à l'époque de sa fête, qui tombe à la Saint-G..., si ma mémoire est bonne. Festons, astragales, bouquets, compliments. Et le prince de la science ne reste pas en affront, et régale princièrement ses humbles clients d'un beau concert, de tasses, prudemment mais gentiment aromatisées, de thé et de café, de gâteaux et sucreries, qui mettent pour quelque temps de la joie et de la gaieté dans ces pauvres cœurs tout gratitude pour les bons soins et la délicate attention.

Et je préfère, quel que soit mon chauvinisme révolutionnaire bien connu, cette fête de la vraie Fraternité à la tienne d'hier, Liberté, Liberté chérie[371] !

4. PAUL VERLAINE ET LES ARDENNES

On relèvera la place sentimentale qu'occupent les Ardennes chez Verlaine : ce qui n'est pas sensible dans son œuvre poétique. La nostalgie, clé de voûte de son inspiration, s'alimente au ciel brumeux de cette région du nord.

4.1. L'AMOUR DU PAYS

PROLÉGOMÈNES[372]

Il y a en France des contrées aussi belles que les Ardennes, il n'y en a peut-être pas de plus belles, il n'y en a surtout pas de plus françaises, à n'importe quel point de vue.

Patriotisme froid mais d'autant plus sûr, bon langage et jolis patois, agriculture, industrie, instruction, et, ce qui ne gâte rien, même en ce moment-ci, moralité : nos Ardennes présentent à l'observateur, ou même au simple touriste, toutes les qualités et toutes les richesses de la terre et de l'âme françaises. J'allais oublier cette fine gaieté, cette malice sans fiel, apanage incontestable du « naturel » de nos villes et villages champenois, vallageois et ardennais proprement dits.

Le sol lui-même n'est qu'un microcosme français, qu'un heureux résumé de la patrie. Craie, argile, excellentes terres labourables, arborifères, et tout le reste ; le département s'étend comme un long ruban diapré, comme une Egypte un peu moins fertile et presque aussi sauvage par endroits.

---

371. *Mes hôpitaux*; *Œuvres complètes, op. cit.*; 372. *Prolégomènes :* longue introduction en tête d'un ouvrage.

Toutes les boissons s'y boivent, cordialement mais sobrement, nées du territoire même et sur le territoire, et l'on croque ici à belles dents la pomme et la poire, tandis que la cerise et la *couèche*[373] font la joie des enfants et pas toujours la tranquillité des parents.

Chez nous, le gourmet et le gourmand trouvent des légumes de toute saveur, de la viande de toutes supériorités, du gibier de toute plume et de tout poil, du poisson comme il y en a peu, et, vers la Semoy, de la truite comme il n'y en a pas.

Pour en finir avec ces prolégomènes, je veux brusquement entrer dans le sujet, comme on dit, et entamer topographiquement le sujet qui m'occupe.

Je commencerai par l'arrondissement ardennais le plus proche de Paris et nous examinerons tout d'abord en détail, si vous le voulez bien, Rethel et le Rethélois.

Vous étudierez tout particulièrement le concept de la nostalgie chez Verlaine.

4.2. LA DESCRIPTION DE RETHEL ET DU RETHÉLOIS

Rethel est une très vieille ville située sur l'Aisne qui y est superbe, pleine d'îlots charmants, et encaissée entre des bords où la végétation s'en donne à verdure que veux-tu. Le canal des Ardennes qui coule parallèlement à la rivière, mais à une distance respectueuse, se contourne autant que peut le faire un canal et disparaît brusquement avec l'Aisne, ombragé de hauts peupliers, dans un horizon quasi sauvage de collines dénudées. L'entrée même de la ville, en venant du chemin de fer, est loin aussi de manquer de pittoresque. A droite, ce sont des hauteurs frustes où s'étire le faubourg des Capucins, tandis qu'un peu plus en retour, sur la ville proprement dite, se déploient les débris encore majestueux du château, ayant appartenu au cardinal de Mazarin. Puis la « Tour », dont je parlerai. Ensuite, pour parler comme les enfants, nos maîtres en tout ! nos « modèles d'exemples » pour parler localement, des fabriques belles à force d'être bien bâties, bien situées, encore mieux disposées — oui, belles, car, selon Platon, qui a presque toujours eu raison, le Beau, c'est la splendeur du Vrai — achèvent cet ensemble irréprochable. A gauche, des jardins étonnants pour le Parisien, habitué aux choses de « rapport », maraîchers, propriétaires et compagnie, des cèdres qui l' « épatent », même après ceux du Jardin des Plantes. Et *Rome !* Rome, la pépinière des environs, chaos de fleurs, de fruits, de feuilles et d'oiseaux chantant dans les branches[374] !

---

373. Quetsche ; 374. Réminiscence de Green.

Quittons ces vallons

sur l'air d'Adolphe Adam, et grimpons vers la Halle qui m'a toujours rappelé celle dont parle Victor Hugo dans son détestable et admirable *Quatre-Vingt-Treize*. Vive Alphand et les Halles-Centrales de Paris ! Mais vivent aussi les édiles et le temps de la charpente raisonnée et de la pierre utile pour tous, surtout en ce siècle de gains à la vapeur, de discussions entre adjudicataires et de « bâtisse » sans pudeur !

Un de ces jours, nous partirons de ce centre, *la place de la Halle*. Nous irons à l'église Saint-Nicolas, une merveille contestable, nous dégringolerons jusqu'à l'Hôtel de Ville et saluerons son drapeau de zinc tricolore, jusqu'au tribunal, chose faussement anglaise et vraiment laide, et reposerons ce premier pas dans les Ardennes par une flânerie à travers le Rethélois sec et poudreux en champenois qu'il est, mais amusant et beau qu'il est aussi, vu de près.

L'église Saint-Nicolas vers laquelle on parvient de la rue Thiers (*alias* ou plutôt *olim* avenue de la Gare) par un labyrinthe de rues curieuses, aux maisons dont le premier et unique étage surplombe le naïf rez-de-chaussée, est un monument gothique du style flamboyant, flanqué d'une *tour grecque* (si l'on peut s'exprimer ainsi) qui, du moins, compense son anachronisme architectural et son absurdité intrinsèque par son énorme capacité qui permet à la plus belle sonnerie du département, et à l'une des plus belles de toute la région, d'appeler les fidèles aux offices, de pleurer sur les morts, d'accueillir les nouveaunés et de chanter les gloires ou les deuils de la cité, largement, mélodieusement, grandiosement, sous la trop minime flèche où pivote un ange en métal — « l'Ange », comme les habitants appellent ce témoin giratoire et ce protecteur à tous vents de la bonne petite ville.

Un portail délicieux, malheureusement mutilé dans les jours de tempête révolutionnaire, donne accès à l'intérieur de l'étrange église aux quatre nefs, toutes ogivales de la dernière heure, trouées de chapelles, de cryptes irrégulières et charmantes. Des colonnes et des colonnettes aux chapiteaux historiés et divers supportent les quatre voûtes élégantes, où la lumière se joue à travers d'immenses vitraux latéraux, malheureusement encore incolores.

La nef principale et celle qui l'accompagne immédiatement à gauche possèdent d'admirables verrières d'autel, de beaux autels et de précieux pavages, — grâce au zèle infatigable et à la grande érudition archéologique de M. l'archiprêtre Pierret, qui a remeublé son église, orgues, statues, etc., de telle sorte que son nom est désormais inséparable de la complète restauration intérieure d'un édifice qui peut et doit, en dépit de son irrégularité, faute du mauvais goût successif des temps précédents, compter au nombre des gloires architectoniques de la contrée.

L'Institution Notre-Dame, encore inachevée, s'accole à Saint-Nicolas et n'est pas indigne d'un tel voisinage. Vastes cours encadrées d'ailes de bâtiments de brique et de pierre, aux larges fenêtres, aux marquises légères, des arbres, de l'air, des rires, des jeux, et de sérieux travail donnent à l'âme et à l'œil du visiteur, parent ou curieux, la fête de la jeunesse studieuse, de l'enfance épanouie, et d'une architecture à la fois simple et savante.

Verlaine nous décrit les environs de Rethel :

Il faudrait pourtant, avant de quitter définitivement Rethel, son pavé détestable et son excellent boudin blanc, faire un tour dans *les Iles,* superbe promenade au bord de l'eau, rendre l'hommage qui leur est dû à la pittoresque situation de la sous-préfecture, à la relative élégance du vieux bâtiment actuellement affecté au service de l'école communale laïque, sans oublier de dire un mot de la petite église Saint-Remi (faubourg des Minimes), ancienne chapelle conventuelle, pierre et brique, dont ses délicieuses boiseries, sa chaire, son buffet d'orgue et ses sobres verrières, font un objet de bon goût et d'art choisi. On ne peut non plus s'éloigner de

> ### Rethel-Mazarin,
> *petite ville et grands coquins*

(un vieux dicton rimé *à la vent-vole,* qu'ose démentir, quant au dernier hémistiche, mon expérience des habitants, de braves gens et des fins matois), sans regarder la Tour, colline en pain de sucre qui fut militaire jadis et joua son rôle, au temps des Turenne et des Condé, se contentant aujourd'hui d'être une manière de labyrinthe et d'offrir un splendide point de vue à ceux qui en risquent la peu dangereuse, mais passablement fatigante ascension.

La gare ! — gentille construction de brique rose (car les entrepreneurs rethélois ont, depuis quelques années, remplacé l'antique torchis, la vénérable craie et la brique rouge d'antan par ce produit chocolat au lait).

Vite, trois tickets pour mon aimable lectrice, mon lecteur bénévole et leur cicerone très indigne. En voiture, messieurs, en voiture ! Pschu ! pschu !... Tagnon ! Tagnon ! Tagnon !

Un coup d'œil sur Tagnon ! Joli clocher, paysage léger.

Le Châtelet ! Ici nous descendrons et irons boire, madame une groseille, monsieur et moi une chopine de vin *paillé* chez le père Moreau.

Un salut à cet excellent garçon et à la digne patronne du lieu, et sautons d'un bond dans l'omnibus à Riccoteaux, un voiturier gai comme un pinson, rond comme une pomme et franc comme l'or.

Neuflize! Quel beau château tout moderne! On dirait presque Bazilewski. Malheureusement un parc trop jeune. Mais quelle splendide filature, quelles admirables maisons d'école et quelle mairie!

Un hurrah pour les frères Pâté, les propriétaires de la « mécanique », les bienfaiteurs du pays, fils de leurs œuvres, ceux-là, s'il en fut jamais. Hip, hip, hurrah!

Alincourt! Beau petit village, un moulin pittoresque, et, barbotant sur un vrai petit lac formé par un élargissement de la Retourne (dont il va être reparlé), des oies grosses comme des cygnes sinon aussi gracieuses, et qui doivent être bien bonnes, avec des marrons dedans et des saucisses chipolata tout autour. Léchons-nous les doigts... en imagination, et, clic clac! disposons-nous à l'entrée en Juniville.

Un gros chef-lieu de canton, haussmannisé naguère par M. Doury, actuellement sous-préfet dans la Marne, un type. Lavoirs étonnants, maisons d'école dignes d'une grande ville, routes qu'envieraient les vieux Romains, ces ingénieurs! un cimetière coquet et aéré qui donnerait presque envie d'y habiter plus tôt que plus tard : tel est Juniville, avec sa rivière bien nommée (la Retourne) qui l'enveloppe de ses mille replis, et son bois de peupliers plein de ruisselets, d'air pur et de doux ramages.

Il convient aussi de signaler sa très vieille église aux lourds piliers normands, qui a été tout récemment l'objet de restaurations importantes et des mieux réussies. Un peu gai peut-être pour la sévérité du lieu, l'aspect intérieur actuel du vénérable petit édifice.

Je me suis un peu étendu sans doute sur Juniville, mais j'y ai longtemps vécu, y laissant des bribes de ma destinée, et j'éprouve un mélancolique plaisir à en parler trop. Pardon, bon public. Je me remets tout à mon devoir d'excursionniste, que je remplirai pour la conclusion de cet article, à vol d'oiseau, afin de regagner un peu la place gaspillée et le temps perdu.

Bignicourt, Ville, villages de pure culture, insignifiants, mais très riches. Un reproche à l'horloge de l'église de la première localité. Depuis de longues années elle marque la même heure, sans, hélas! empêcher la fuite du temps, manquant ainsi à sa

fonction d'avertisseuse et de moraliste, qui serait de nous dire
en son latin :

> *Omnes vulnerant, ultima necat*[375].

La Retourne côtoie et traverse ces villages, toujours capri-
cieuse et fidèle à son nom. La source, d'ailleurs, en est toute
proche, bien que n'appartenant plus au Rethélois.
C'est dire qu'il nous faut maintenant obliquer à gauche pour
ne pas quitter l'arrondissement.
Le Mesnil-Annelle, tout craie et poussière. Perthes, dont l'église
de craie et la colline poudreuse dominent Rethel et semblent
dire : « Bien qu'ardennaises de nom, sommes-nous assez la
Champagne ! » Thugny et son remarquable château du
XVIᵉ siècle.
Sorbon, nom historique, parrain de la Sorbonne, s'il est vrai
que ce dernier vocable ne vienne pas, comme le veulent
quelques historiens, de *Soror bona*. Dame ! on appelait bien
telle vieille université *Alma mater*. Château et son vin bien
connu, même au loin. Barby, où serait né l'auteur présumé
du « plus beau livre après l'Evangile », Jean Gerson.

Et voilà notre voyage dans le Rethélois, à bien peu de chose
près complet et, en tout cas, terminé.
Nous irons à Vouziers très prochainement, par le chemin des
écoliers[376].

5. L'ACTE DE FOI DE PAUL VERLAINE

MON TESTAMENT

Je ne donne rien aux pauvres parce que je suis un pauvre
moi-même.
Je crois en Dieu.

PAUL VERLAINE.

CODICILLE. — Quant à ce qui concerne mes obsèques, je désire
être mené au lieu du dernier repos dans une voiture Lesage
et que mes restes soient déposés dans la crypte de l'Odéon.
Comme mes lauriers n'ont jamais empêché personne de dor-
mir, des chœurs pourront chanter pendant la triste cérémonie,
sur un air de Gossec, l'ode célèbre : « La France a perdu son
Morphée. »

Fait à Paris, juin 1885[377].

---

375. « Toutes blessent, la dernière tue. » Inscription latine qui figurait sur
les cadrans solaires. Il s'agit des heures; 376. *Nos Ardennes* (Genève,
Ed. Pierre Cailler, 1948); 377. *Les Mémoires d'un veuf;* cf. *Œuvres complètes,
op. cit.*

JUGEMENTS SUR PAUL VERLAINE

Verlaine ou le drame d'un mutant

Verlaine, avec les siens, s'éloignait, dans un frappement pénible de galoches et de gourdin, développant une colère magnifique, qui se changeait quelquefois, comme par miracle, en un rire presque aussi neuf qu'un rire d'enfant.

Paul Valéry,
Variété II (1930).

Ses poèmes l'appréhendent.

Ses péripéties l'escortent jusque dans le verbe.

Ses égarements provoquent des conflits.

Dans un monde qui exige que tout soit précis, froid, net et poli comme l'acier, Verlaine apparaît, rocher inquiet, multiple, migrateur, comme une cible anxieuse, insatisfaite, qui rebondit encore.

Evelyne Wilhelm
(inédit).

Chez Verlaine, l'homme descend du songe et tend à y retourner en vertu d'une insatisfaction essentielle. L'inquiétude, où s'inscrit l'intolérable décalage entre la réalité et la vie rêvée, cherche sur les quais de départ, dans les amours impossibles, au bistrot, la route des grandes évasions.

Antoine Blondin,
Verlaine (1963).

Verlaine? Compagnon de ma puberté inquiète et romantique.

Au temps de ma timidité, je me crus le pauvre Gaspard.

Puis j'ai largué le poète quand mes peines se motivèrent par des raisons vivantes et que je réalisai dans celle que j'aimais cette femme ni tout à fait une autre, ni tout à fait la même.

À l'occasion, une chope au Procope, proche de l'ancienne Faculté de médecine, me faisait voisiner avec l'ombre du pauvre Lélian sirotant l'absinthe opalescente.

La drogue s'actualise, la cirrhose ne fait plus recette; c'est le progrès. Mais aux vitres du vieux Bichat tremble encore l'haleine du moribond, avant la fixité des yeux.

Je l'ai croisé à Bobino quand la grande Damia chantait « d'une prison » sur une musique de Reynaldo Hahn ...*le ciel est par dessus le toit*. Nous étions nombreux à partager la communion de l'âme du poète et de la ferveur du musicien, à travers l'inoubliable interprète. Derrière les barreaux de la vie, nous avions du mal à réintégrer le présent.

Plus tard, c'est-à-dire maintenant, j'ai vraiment rencontré Verlaine. Il est en chacun de nous. Il prêche Dieu, décalcomanie de l'homme en transparence sur la mort.

Il faudra bien la durée d'une existence pour que ceux qui lisent ces lignes se reconnaissent, écoutent la chanson bien sage, et colorent d'âme leurs péchés passés, avant l'encens du dernier amour.

Pierre Osenat
(inédit).

Verlaine : poète novateur

Poésie pure, poésie populaire, poésie chrétienne : par ces trois pas, faits alors dans une ombre absolue, sans public, Verlaine, parti du Parnasse, s'avance pour ouvrir les écluses de la poésie qui vient, et qui enveloppera le Parnasse, sans d'ailleurs le submerger, lui ajoutant même des sédiments inattendus, que représenterait peut-être la poésie de Mallarmé.

Albert Thibaudet,
*Histoire de la littérature française
de 1789 à nos jours* (1936).

Entre Éluard et Verlaine, le chemin est facile. Ce n'est pas seulement Rimbaud qui les associe à l'expérience des lits dont l'un et l'autre ont musé jusqu'à la corde des sublimes violons, mais plus subitement une *fleurance de chair* dont Lélian fut peut-être plus friand qu'un jeune amoureux de 1912 devant l'immortelle Gala. Mathilde, Philomène et Eugénie ne valurent point cependant Nush pour combler la laiteuse distance que la mort prend sur la vie de la nuit dont se nourrissent les terribles confessions de Verlaine, ce païen catholique, que l'on aurait grandement tort d'assimiler à l'auto-critique d'un surréaliste devenu stalinien. Je ne dis point qu'à l'inverse le chemin se refasse aussi bien, il est même ardu. Si vous aimez Éluard, lisez donc Verlaine.

Edmond Humeau
(inédit).

Verlaine se situe aux antipodes de la poésie classique, puisque tous ses aspects se résolvent en un abandon de la raison, de la volonté, du viril sentiment. Néanmoins, quoique compagnon des novateurs, il a tempéré leur audace, et notamment la contention mallarméenne, l'entêtement dans les techniques de l'alchimie verbale. Il a résisté aux outrances, assuré la supré-matie de la libre inspiration et donné l'exemple de la spontanéité ailée.

Henri Clouard,
*Histoire de la littérature française
du symbolisme à nos jours* (1952).

Jugements comparés

Verlaine est tout entier *une nature*, d'ailleurs très raffinée et complexe, sachant tirer parti des influences, mais immédiatement donnée, d'une originalité foncière et subsistant à même la vie. Nul ne fut moins théoricien que lui, moins soucieux des ambitions esthétiques et philosophiques de ses contemporains, moins alchimiste (comme le fut Mallarmé), moins visionnaire et prophète (comme Rimbaud). Il naquit pour conduire à sa perfection le lyrisme intime et sentimental fondé par Marceline Desbordes-Valmore et par Lamartine et pour trouver ce ton de poésie parlée qui n'appartient qu'à lui, qui convient également à la prière sans apprêt et à la confidence murmurée, à l'expression du désir âcre ou de l'effusion tendre et où certain « contour de voix subtile » finit toujours par s'effacer comme une arabesque fuyante dans un halo sonore.

> Marcel Raymond,
> *De Baudelaire au surréalisme* (1947).

Ne cherchons pas chez lui la puissance de la forme ou de l'imagination : il s'accompagne de la guitare ou du violon, mais s'essoufflerait à suivre un orchestre. Il n'est pas jusqu'aux célèbres sonnets chrétiens de *Sagesse* qui ne me paraissent d'une qualité inférieure. Mais comme Villon et Baudelaire sont des poètes de l'angoisse et du remords, Verlaine est celui de la mélancolie et du regret. Il a su en donner l'expression la plus musicale, la plus tendrement mystérieuse. Il est un des poètes les plus chers à notre cœur. Je dirais cependant qu'il a été un mauvais maître, s'il n'y avait pas Apollinaire.

> Georges Pompidou,
> *Anthologie de la poésie française* (1961).

Il prend ainsi l'habitude de considérer que parler minutieusement de soi est un talent, pourvu qu'on le fasse avec *sincérité*. Il s'abandonne aussi naturellement à de petites revanches longtemps différées, et ses rancunes exsudent à travers les généralités. S'il arrive qu'on le voie soudain, dans des sens opposés, distribuer les coups de boutoir inattendus d'un sanglier, c'est que l'instinct de conservation le pousse à se prouver sa combativité et à défendre une place qu'il partage volontiers avec un Mallarmé, mais que le snobisme tend à lui contester au profit de jeunes rivaux tels que Maurice Rollinat, nouveau poète de l'étrange et de l'angoisse lancé par Sarah Bernhardt, René Ghil et surtout Jean Moréas qu'on se plaît malignement à lui opposer.

> Jacques-Henri Bornecque,
> *Verlaine par lui-même* (1967).

Verlaine, dans son choix profond de l'amoralisme se justifie sans doute dans la mesure où il perçoit que l'immoralisme d'un Rimbaud peut amener à plus de rigueur encore que la morale traditionnelle.

Mais c'est par de pareils sophismes qu'au niveau d'une dialectique du pour et du contre s'instaure toute dictature de l'esprit qui veut que tout ce qui n'est pas « pour » soit « contre ». Ce que le « non-pour » est manifestement obligé de devenir pour abattre tout ce qui, précisément par des raisonnements aussi sommaires, entrave la liberté.

Verlaine a vu et s'est retourné. Rimbaud a vu mais il a assumé jusqu'à l'effroi. Il ne fut jamais question pour lui de revenir : le pas était gagné à jamais.

Roger Otahi
(inédit).

La particularité de Verlaine, la première recette de son alchimie, c'est qu'il peint moins pour peindre que pour s'analyser. Il se rattache à cette école, dont Pierre Morau observe la continuité depuis Montaigne : celle du « paysage introspectif ». Selon cette démarche, rivières, collines et forêts ne sont que des métaphores au service de la recherche de soi.

Jacques Robichez,
Verlaine (1969).

Verlaine ou le manque de rigueur

Parce que la poésie de Verlaine répudie toute charpente consonantique, au profit d'un perpétuel glissement vocalique — la seule relation de mot à mot, dans ses vers, est une relation vocalique, en ce sens que les mots s'effacent les uns des autres par une élision continue, de voyelle à voyelle, de l'un à l'autre —, je ne peux voir en cette écriture, dite souvent « fluide et musicale », qu'une écriture, en fait, invertébrée.

Parce qu'un poète devrait être un homme *debout*, un homme *dressé*, à l'esprit fort et à la serre forte, je ne peux voir en Verlaine — en dépit d'une sensibilité aimantée qui n'est pas sans charme — qu'un homme inhibé, dont la poésie est soluble.

Jean-Louis Depierris
(inédit).

« Chassez l'inutile ! » disait Verlaine. Voilà un conseil que les poètes ne devraient jamais oublier et, par delà les exprimants de l'écriture, quiconque éprouve le besoin de créer. Un poème est un condensé de prose, une sorte de pierre taillée dont la réussite est un diamant. Verlaine chassa-t-il l'inutile dans son œuvre ? Oui, dans une certaine mesure. On trouve chez lui de nombreuses chevilles imposées par la rigueur du vers régulier, dont pourtant il se jouait, et des adjectifs qui, n'ajoutant rien, apparaissent comme la négation même de l'adjectif, mais s'il avait osé s'exprimer en vers libres, dès 1886, au lieu de se contenter de subtils écarts de règles, il n'eût sans doute écrit que l'essentiel ; ce qui reste le vrai but du poète moderne.

Pierre Béarn
(inédit).

Verlaine ou l'art du raffinement

Par la douceur pénétrante des sons et la demi-obscurité des mots Verlaine a tracé les premières lignes d'une phonétique de la suggestion : son chant intérieur qui s'exprime en « romances sans paroles », rythmées aux flux alternés de la joie et de la langueur, rejoint les régions infinies de l'imagination en descendant dans la profondeur des abîmes sonores, là où le signe et le son se touchent et se confondent comme unités indissociables du discours poétique.

Nicolas Kovač
(inédit).

Verlaine a cette première et rare vertu de disposer des ressources de la langue avec une maîtrise souveraine. Il ignore cette difficulté d'expression que l'on devine chez Vigny, dans les pièces les plus anciennes de Baudelaire et que l'on peut observer en certains poèmes de Mallarmé. Il a commis de mauvais vers : ce ne fut jamais par pauvreté des moyens, mais par excès d'audace dans le raccourci, ou dans le raffinement, ou enfin dans la dureté que volontairement il s'imposait. S'il est vrai que son inspiration se « dépoétisait » parfois, et de plus en plus souvent avec les années, elle reste jusqu'au bout curieuse et fine.

A. Adam,
Verlaine (1965).

Poésie pour vivre[378]

Gentleman et hidalgo toujours, même dans les bras de la gouge aux seins lourds ou de l'ange de Charleville, même dans les fumées de l'absomphe ou les ornières ardennaises, Verlaine possédé de la fureur d'aimer, la tête débordante de désirs, de prières et de révolte contre les platitudes résignées (de la société, de l'amour et du langage) a su, de raccourcis en dislocations, de tremblements en boiteries, d'archaïsmes en argotismes, de frôlements en coups de fouet, de vérités premières en lueurs avidement arrachées à l'autre rive, faire de son vers — et de sa vie — la syntaxe même de la poésie.

Jean Rousselot
(inédit).

Paul Verlaine représente pour moi l'idéal du poète et de sa mission : celui qui interprète, traduit, exalte les sentiments que tout un chacun porte en soi, voudrait exprimer et ne peut y parvenir faute de moyens. Il force à la musique le plus rebelle, crée des images chez les moins imaginatifs, parle plus au cœur qu'à l'intelligence et plus à l'âme qu'à la raison.

---

378. *Poésie pour vivre* : titre d'une étude de Serge Brindeau et Jean Breton (Paris, la Table ronde, 1964).

Ce Van Gogh du vers (qui me souffle Watteau ? nenni) est le maître à penser et à créer de nos plus grands poètes interprètes de la chanson contemporaine : Georges Brassens, Jacques Brel, Léo Ferré...

Ce vieux gamin à la mine chagrine se laissait aller à de bouillonnants accès d'humour noir :

Je ne sais rien de gai comme un enterrement !

ou encore ce quatrain de la « Ronde de Charles-le-Fou », digne de son ancêtre François Villon :

Que l'on boive ou que l'on danse
Et que monseigneur Jésus
Avecque les saints balance
La chaîne des pendus ! [...]

et comme pour se justifier, il nous lance ce vers extrait d'un poème à Jules Tellier :

Ainsi je riais, fou, car la vie est folie !

Poète charnière entre la rigueur du classicisme parfois ennuyeuse et le laisser-aller du modernisme railleur, il assure la pérennité de la vraie et noble poésie qui est « sagesse », titre de l'un de ses meilleurs et plus célèbres recueils de poèmes, dans la préface duquel il nous confie que c'est « son premier acte de foi public depuis un long silence littéraire... ».

Paul Verlaine est de plus en plus nécessaire à notre vie enclose en le béton, il est la foi et l'espérance de ceux qui croient encore à une bouffée d'air pur.

Tristan Maya
(inédit).

Verlaine est un automne permanent à lui tout seul, avec les innombrables caprices d'une saison fantaisiste entre toutes. Des jours délirants de soleil et de clarté, débouchant sur des lendemains nébuleux et ternes; des aubes triomphantes étirant leur langueur vers des crépuscules précoces, avec des alternances de rires et de pleurs; une longue procession d'heures multicolores dans l'opale des matins frais et la tonalité violente des après-midi lumineux. Parfois aussi des orages.

Fernand Geoffroy
(inédit).

Cet « excessif », selon sa propre définition, avait le don de dire en termes mélodieux tout ce qu'il vivait, le meilleur comme le pire. Les plus beaux de ses poèmes chantent dans nos mémoires parce qu'ils mettent les ressources d'un art subtil et divers au service d'un tempérament exceptionnel.

Autre chose encore retient dans son œuvre : c'est la survivance de l'espérance et de la simplicité du cœur, au plus profond de la détresse et de la misère.

Jean Richer,
Paul Verlaine (1967).

SUJETS DE DEVOIRS ET D'EXPOSÉS

● La malédiction de Verlaine se développe dans un contexte bourgeois : situez cette malédiction dans une perspective politique et sociale actuelle.

● En quoi l'aliénation et l'exil accentuèrent-ils l'empreinte de nostalgie sans cesse présente dans son œuvre ?

● Un écrivain confronté avec le tragique de l'existence (hôpitaux, prisons, etc.) ne songe plus à « faire de la littérature », et s'il se trouve sollicité par l'écriture, il écrit comme si c'était la dernière fois. Estimez-vous que Verlaine, qui connut le milieu carcéral sous différentes formes, confirme ou infirme ce postulat ? Comparez avec d'autres auteurs (par exemple : François Villon, André Chénier, Robert Desnos, Robert Brasillach, Antonin Artaud, etc.).

● Pensez-vous que la poésie de Verlaine trouve sa justification actuelle dans le maintien d'un climat de sensibilité poétique hors du temps ou, au contraire, pensez-vous qu'elle est parfaitement anachronique à l'heure de l'ordinateur et de la conquête de l'espace ?

● Dans la géographie de la poésie française, Verlaine a-t-il favorisé une situation de rupture ?

● Commentez ces lignes d'Élisabeth Carpentier : « Peut-être sa poésie manquait-elle parfois de force, de coups de poings qui ne firent pas défaut chez Rimbaud, Corbière ou Lautréamont ; mais elle est « Verlaine » : poète en quête d'amour, de sagesse, de déraison, de vices et de vertus. »

● Verlaine est considéré comme un poète mineur par tout un secteur de la poésie moderne : est-ce parce que dans son délire il manqua de transgresser trop visiblement les règles académiques ? Est-ce parce que le versificateur l'emporta sur le poète ? Est-ce le point de vue d'un petit nombre d'initiés qui ressentent jalousement la popularité de Verlaine ? Est-ce parce qu'il y a une mésalliance entre la séduction recherchée par un principe esthétique et la profondeur du message ?

● L'alexandrin de Verlaine est-il d'un apport nouveau ?

● Comparez l'inspiration chrétienne de Verlaine à celle de Claudel.

● Le rôle de Verlaine dans la révolution poétique de 1885.

● N'y a-t-il pas un décalage entre sa vie de déclassé, de hors-clan, sa bohème, ses actes de violence et son attitude relativement sage et conservatrice dans son œuvre ?

● Comparez l'art poétique de Verlaine à celui de Baudelaire.

● Décelez les influences.

● En quoi Verlaine s'opposait-il aux romantiques?

● Pensez-vous que certains poèmes de Verlaine gagnent à être mis en musique? Estimez-vous que la chanson soit le plus sûr moyen de faire accéder le grand public à la poésie?

● Si vous deviez organiser un spectacle faisant appel à différentes disciplines des arts, et dans lequel Verlaine représenterait la poésie, à quel compositeur, à quel peintre, à quel sculpteur songeriez-vous?

● Si Verlaine et Rimbaud vagabondèrent sur les mêmes chemins, leurs itinéraires poétiques, par contre, se recoupent rarement : en quoi leurs œuvres sont-elles radicalement dissemblables?

● Pour le sociologue René Barbier, « Paul Verlaine demeure cloîtré dans une légende bien trop vivace mais fautive dans la mesure où une vie authentiquement dramatique a été confondue avec une vie pittoresque. Semblable glissement des valeurs autorise certains à proclamer qu'un peu de misère ne peut que fortifier le génie. » Ce constat correspond à une réalité assurément regrettable : plaidez la cause de l'artiste en général et celle du poète en particulier.

TABLE DES MATIÈRES

Mame Imprimeurs - 37000 Tours.
Dépôt légal Mai 1973. – N° 21044. – N° de série Éditeur 14701.
IMPRIMÉ EN FRANCE *(Printed in France)*. – 870 180 G Octobre 1988.